Nuevo

¡Bravo, bravo!

PUENTES

Santillana USA

Published in the United States of America.

Puentes
ISBN 10: 1-59437-355-8
ISBN 13: 978-1-59437-355-8

The participation and contributions of the following educators in the development of *Puentes* are gratefully acknowledged:

Arnhilda Badía, Ph.D., Professor of Modern Language Education
Frederick S. Richard, Writer/Developer
Marta Nabut, Elementary Spanish Teacher
Luz Santiago, Elementary Spanish Teacher
Deborah Naegle, Elementary Spanish Teacher
Anna Boadas, Elementary Spanish Teacher

Illustrations: Andrea Ksiazek
Design and Layout: Alejandra Mosconi
Cover Design: Noreen T. Shimano

Santillana USA Publishing Company, Inc.
2105 NW 86th Avenue, Miami, FL 33122

Printed in USA by HCI Printing & Publishing, Inc.

10 09 08   5 6 7 8 9 10

ACKNOWLEDGMENTS

TEXT: The Publisher acknowledges the significant contributions of writers and educators whose work has been reproduced in this book: **p. 2,** "Canción de todos los niños del mundo" by Alma Flor Ada, from *Lenguaje 4, Nuevo siglo de español*, Santillana USA; **p. 8,** "Los mensajes de Tacuarembó" by Manuel Peña Muñoz adapted from *Lengua 4, Siglo XXI*, Santillana Chile; **p. 20,** "¡Ay, cuánto viajo!" adapted from "Una gota de agua" by Miguel Ángel Pacheco and José Luis García Sánchez, *Textos para leer 2, Serie 2000*, Santillana México; **p. 38,** "Aviso clasificado" by Elsa Isabel Bonermann from *Lenguaje 4, Nuevo siglo de español*, Santillana USA; **p. 44,** "Rongogongo y Sasal" by Concha López Narváez adapted from *Cabriola2*, Santillana España; **p. 86,** "El plumaje del múcaro" traditional folk tale retold by Ricardo E. Alegría from *Lectura y Comunicación 3, Siglo XXI*, Santillana Puerto Rico; **p. 98,** "El primer resfriado" By Celia Viñas Olivella from *Poesía Española*, Alfaguara Infantil España; **p. 128,** "Un viaje de sube y baja" traditional folk tale from *Español 3, Serie 2000*, Santillana México; **p. 134,** "Corrido de César Chávez" by José Luis Orozco © José Luis Orozco; **p. 146,** "Canciones de Ignacio Copani" by Ignacio Copani, original title "Sálvame" by Ignacio Copani from *Lenguaje 6, Nuevo siglo de español*, Santillana USA; **p. 164,** "Una prueba de ingenio" traditional folk tale from *Lengua castellana 4, Entre amigos*, Santillana España; **p. 170,** "Cómo se dibuja un paisaje" by Gloria Fuertes from *Siglo XXI*, Santillana Puerto Rico.

PHOTOS: Cover, Wooden bridge spanning Lake Yelcho, Patagonia, Chile © Macduff Everton/Corbis COVER; **p. 1** © Robert Maass/Corbis COVER; **p. 2** © José Luis Peláez, Inc./ Corbis COVER; **p. 5** © Laura Doss/Corbis COVER; **p. 13** © Pablo Corral V/Corbis COVER; **p. 25** © Patrik Giardino/Corbis COVER; **p. 26** © MANTEY S./Corbis COVER; **p. 27** © Bohemian Nomad Picturemakers/Corbis COVER; **p. 29** (from left to right) © George Shelley/Corbis COVER; © Tom & Dee Ann McCarthy/Corbis COVER; **p. 37** © Bo Zaunders/Corbis COVER; **p. 49** © Steve Chenn/Corbis COVER; **p. 50** © Royalty-Free/Corbis COVER; **p. 61** © Fukuhara, Inc./Corbis COVER; **p. 68** © Leland Bobbé/Corbis COVER; **p. 73** © Charles & Josette Lenars/Corbis COVER; **p. 74** © Michael Freeman/Corbis COVER; **p. 75** © Macduff Everton/Corbis COVER; **p. 77** © Macduff Everton/Corbis COVER; **p. 80** Portrait of John L. Stephens by Frederick Carherwood, from *Incidents of Travel in Central America, Chiapas and Yucatan* by John L. Stephens, Dover Publications, Inc., New York; **p. 81** © Gianni Dagli Orti/Corbis COVER; **p. 85** © Martin Harvey/Corbis COVER; **p. 86** © Academy of Natural Sciences of Philadelphia/Corbis COVER; **p. 87** © Archivo Iconográfico, S.A./Corbis COVER; **p. 92** © Tom Brakefield/Corbis COVER; **p. 97** © Royalty Free/Corbis COVER; **p. 109** © Pablo Corral V/Corbis COVER; **p. 116** © Roger Ressmeyer/Corbis COVER; **p. 117** © Owen Franken/Corbis COVER; **p. 121** © José Luis Peláez, Inc./Corbis COVER; **p. 122** © Pablo Corral V/Corbis COVER; **p. 133** © John Van Hasselt/Corbis COVER; **p. 134** (from left to right) © Bettmann /Corbis COVER; © Ted Streshinsky/Corbis COVER; **p. 136** (clockwise from top left) © Nik Wheeler/Corbis COVER; © Bettmann /Corbis COVER; © Alain Nogues/Corbis SYGMA COVER; © Najlah Feanny/Corbis COVER; **p. 140** © Bettmann/Corbis COVER; **p. 145** © O. Alamany & E. Vicens/Corbis COVER; **p. 148** (clockwise from top left) © Andrew Brown; Ecoscene/Corbis COVER; © Pablo Corral V/Corbis COVER; © Kevin Schafer/Corbis COVER; © Richard Hamilton Smith/Corbis COVER; **p. 152** © Lynda Richardson/Corbis COVER; **p. 153** © Gary Braasch/Corbis COVER; **p. 157** © Royalty Free/Corbis COVER; **p. 169** © Francis G. Mayer/Corbis COVER; **p. 175** © Bettmann/Corbis COVER; **p. 176** © Archivo Iconográfico, S.A./Corbis COVER; **p. 177** © Archivo Iconográfico, S.A./Corbis COVER.

The Publisher has made every effort to secure permissions for all the copyrighted selections that appear in this book. Any errors or omissions will be corrected in future printings, as information becomes available.

Contenido

Yo aquí, tú allí

En esta unidad vas a:

- leer un poema acerca de cómo se parecen todos los niños del mundo.

- nombrar países hispanos, ciudades y nacionalidades.

- recordar que las palabras se dividen en clases según su función.

- repasar qué es la *concordancia*.

- leer acerca de cómo celebraron el Día Internacional de la Paz unos estudiantes.

- escribir los sucesos del día en un diario.

Canción de todos los niños del mundo

amanece empieza a salir
el sol

idioma lengua

Cuando aquí es de noche,
para ti amanece.
Vivimos muy lejos,
¿no te lo parece?

Cuando allí es verano,
aquí usan abrigos.
Si estamos tan lejos,
¿seremos amigos?

Yo no hablo tu idioma.
Tú no hablas el mío.
Pero tú te ríes
cuando yo me río.

Estudias, estudio,
aprendo y aprendes.
Sueñas y yo sueño.
Sé que me comprendes.

Vivimos muy lejos,
no estamos cercanos.
Pero yo te digo
que somos hermanos.

Alma Flor Ada

cercanos cerca uno del otro

Conversemos

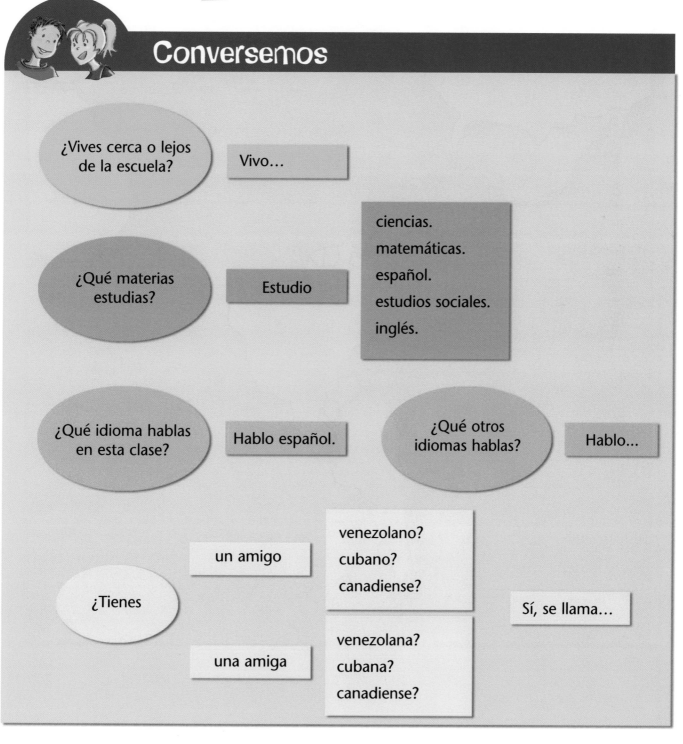

¿Vives cerca o lejos de la escuela?

Vivo…

¿Qué materias estudias?

Estudio

ciencias.
matemáticas.
español.
estudios sociales.
inglés.

¿Qué idioma hablas en esta clase?

Hablo español.

¿Qué otros idiomas hablas?

Hablo…

¿Tienes

un amigo

venezolano?
cubano?
canadiense?

Sí, se llama…

una amiga

venezolana?
cubana?
canadiense?

Los países del mundo hispano

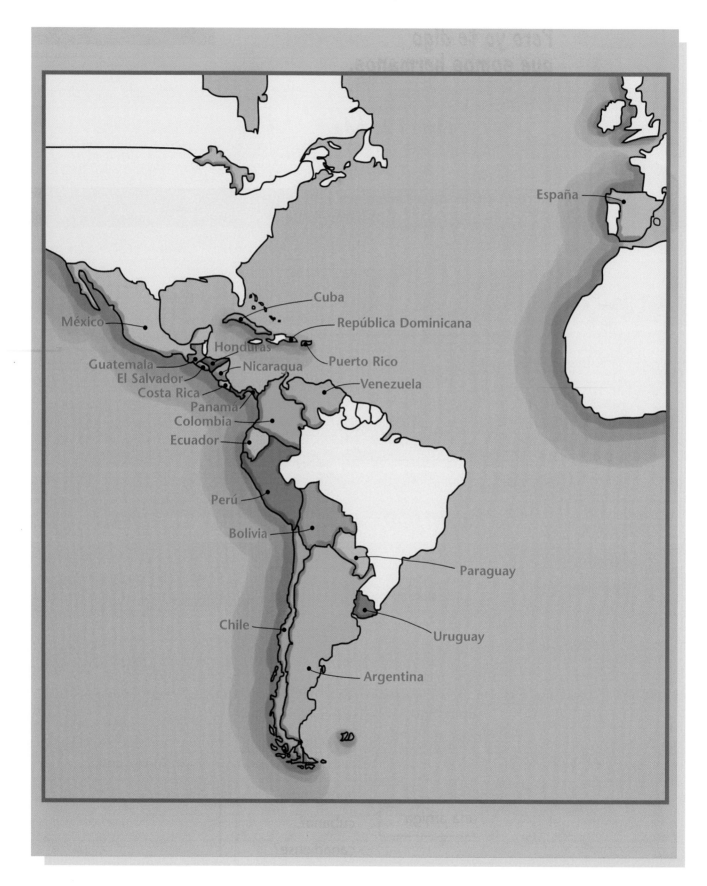

La nacionalidad

- Lee en voz alta.

Nací en Cuba.
Vivo en La Habana.
Soy cubano.

Nací en España.
Vivo en Barcelona.
Soy española.

Vivo en Ponce.
Soy de Puerto Rico.
Soy puertorriqueña.

Vivo en Hong Kong.
Soy de China.
Soy china.

Soy estadounidense.
Vivo en Newton,
cerca de Boston.

APRENDE

- Los nombres de países y ciudades se escriben con letra mayúscula. Las palabras que indican nacionalidad son adjetivos y se escriben con letra minúscula.

- Al igual que otros adjetivos, si la forma masculina termina en –o o consonante, la forma femenina termina en –a. Si la forma masculina termina en –e, la forma femenina no cambia.

Ejemplos:

La Sra. Sánchez nos leyó un poema del poeta chileno Pablo Neruda.
La Sra. Sánchez es la maestra. Ella es chilena, como Neruda.

Kentaro es un amigo japonés.
Su mamá es japonesa y su papá es canadiense.

Mi amiga Carol es estadounidense.
Yo me llamo Bill y también soy estadounidense.

RETO

Reúnete con un compañero o compañera. Escriban el nombre de diez países. Junto al nombre de cada país, escriban el adjetivo de nacionalidad que corresponde. Si es necesario, pueden consultar el diccionario.

 **Clases de palabras**

- Lee y contesta.

Tim tiene un amigo mexicano.   Ellos juegan. Son buenos amigos.

¿Qué palabras son sustantivos o pronombres que se refieren a personas?

¿Qué palabra es un artículo que acompaña a *amigo*?

¿Qué palabra es un adjetivo que expresa cómo son estos amigos?

¿Qué palabra es un verbo que expresa qué hacen estos amigos?

 **RECUERDA**

Recuerda que las palabras se dividen en clases según su función:

- Los sustantivos son palabras que nombran a las personas, los animales y las cosas.
  Ejemplos: amigo, gato, noche

- Los artículos son palabras que acompañan a los sustantivos y muchas veces indican si el sustantivo es masculino o femenino, y si está en singular o plural.
  Ejemplos: una idea, un mensaje, el salón, las preguntas

- Los pronombres personales son palabras que se usan en lugar de un sustantivo.
  Ejemplos: yo, ellas, ustedes

- Los adjetivos son palabras que dicen cómo son o cómo están las personas, los animales y las cosas.
  Ejemplos: estudiantes nuevos, idea interesante

- Los verbos son palabras que expresan una acción o una condición.
  Ejemplos: aprendes, comprendemos, estoy

 RETO

¿Qué clase de palabras son *compañero* y *maestra*?
¿Qué clase de palabras son *dibujar* y *leer*?

 **La concordancia**

- Lee y contesta.

Un coche **pequeño**.

Unas maletas **pesadas**.

¿Cómo es el coche?

¿Cómo son las maletas?

Los sustantivos tienen número: pueden estar en singular o en plural. También tienen género: son masculinos o femeninos.

	Masculino	Femenino
Singular	amigo	amiga
Plural	amigos	amigas

El artículo va delante del sustantivo y su forma concuerda con el número y género del sustantivo.

	Masculino	Femenino
Singular	el/un amigo	la/una amiga
Plural	los/unos amigos	las/unas amigas

El adjetivo generalmente va después del sustantivo y su forma concuerda con el número y género del sustantivo.

	Masculino	Femenino
Singular	el/un amigo nuevo	la/una amiga nueva
Plural	los/unos amigos nuevos	las/unas amigas nuevas

Recuerda que en un grupo de palabras formado por *artículo + sustantivo + adjetivo* todas las palabras deben estar de acuerdo en número y género.

 Describe algo que hay en tu salón, por ejemplo: *Un pizarrón verde.*

Los mensajes de Tacuarembó

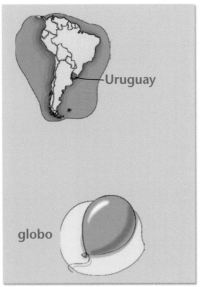

En el interior de Uruguay, cerca de la frontera con Brasil, hay una ciudad pequeña que se llama Tacuarembó. Allí los estudiantes son alegres, como en todas partes.

Una tarde, en la escuela, la señorita Amelia les dijo:

—Hoy vamos a escribir los mensajes para los niños de América—. Y a cada estudiante le dio una hoja de papel.

Todos los años escribían en esas hojas un mensaje que era atado a un globo en el Día de la Paz. Esa tarde, los estudiantes se dedicaron a escribir lindos mensajes.

Cuando todos terminaron, la señorita Amelia les repartió un globo a cada estudiante. Luego salieron de la escuela y caminaron hasta la plaza. Allí la señorita Amelia les pidió a todos atención y leyó dos mensajes.

Uno decía: "Si encuentras este papel, piensa que yo te lo mandé desde Tacuarembó, y que desde aquí te deseo la paz". Otro decía: "Deseo que me escribas para que seamos amigos".

Con la ayuda de la señorita Amelia, los estudiantes ataron sus mensajes a los globos. Y luego, ella dio la señal. De inmediato se elevaron todos los globos. Cada estudiante miraba con emoción cómo su globo se elevaba hasta desaparecer mas allá de las nubes.

Esa tarde cayeron algunos globos en las praderas y en las montañas. Otros subieron al cielo y sus mensajes fueron leídos por las estrellas.

Uno de los globos fue bajando, bajando, rebotó contra una pared y cayó en la terraza de una casa.

ataron

praderas campos

rebotó chocó y cambió de dirección

—Mira, mamá, un globo blanco… y trae algo amarrado —dijo la niña Cecilia, que estaba enferma desde hacía tiempo. Al tomar el globo y leer el mensaje, sonrió por primera vez en mucho tiempo. José, un estudiante de Tacuarembó, había escrito: "Si estás triste, sonríe. Yo pienso en ti".

amarrado atado

sonrió

Adaptación de una historia de Manuel Peña Muñoz.

1. ¿De qué trata la historia que leíste?
   Trata de...

   a. unos estudiantes que están enfermos.

   b. unos estudiantes que sueltan globos con lindos mensajes.

   c. una maestra que enseña español.

2. ¿Dónde tiene lugar esta historia?

   a. En un pueblo que se llama Uruguay.

   b. En un pueblo que se llama Brasil.

   c. En un pueblo que se llama Tacuarembó.

3. ¿Qué dibujo representa los globos de esta historia?

   a.    b.    c.

4. ¿Qué ocurre primero en esta historia?

   a. Los estudiantes van a la plaza.

   b. Los estudiantes escriben mensajes.

   c. Los globos se elevan hacia las nubes.

5. ¿Qué ocurre al final?

   a. La mamá de una niña lee un mensaje.

   b. Un globo cae en una casa donde hay una niña enferma.

   c. Un estudiante que se llama José está triste.

6. ¿Te gustaría hacer una actividad como la que describe esta historia?
   ¿Por qué sí o por qué no?

ACTIVIDAD

- Haz una tarjeta de bienvenida para un compañero o compañera. Escribe un mensaje para desearle muchos éxitos en este nuevo año escolar.

Escribir un diario

1. Lee la página que Lola escribió en su diario, antes de acostarse.

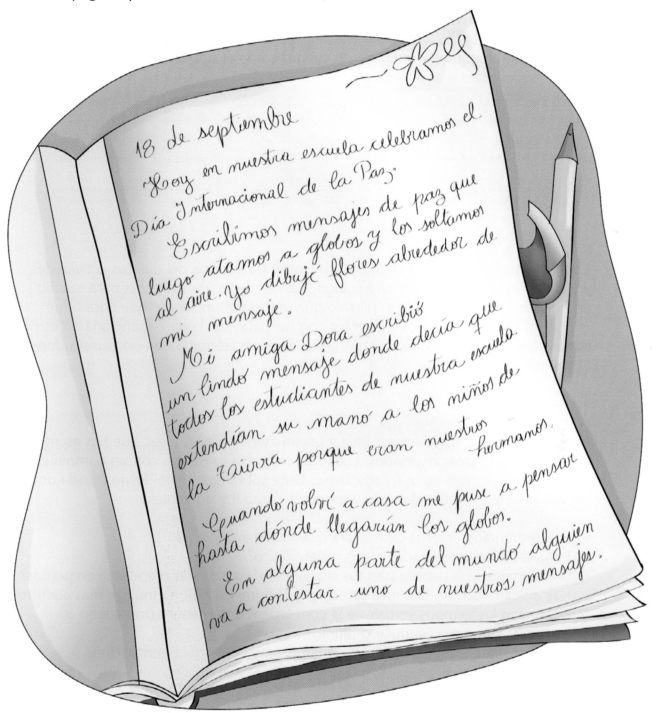

18 de septiembre

Hoy en nuestra escuela celebramos el Día Internacional de la Paz.

Escribimos mensajes de paz que luego atamos a globos y los soltamos al aire. Yo dibujé flores alrededor de mi mensaje.

Mi amiga Dora escribió un lindo mensaje donde decía que todos los estudiantes de nuestra escuela extendían su mano a los niños de la Tierra porque eran nuestros hermanos.

Cuando volví a casa me puse a pensar hasta dónde llegarían los globos.

En alguna parte del mundo alguien va a contestar uno de nuestros mensajes.

2. Si queremos recordar lo que nos ocurre cada día, nuestros pensamientos, sentimientos y opiniones, podemos escribir un diario.

    a. ¿En qué momento del día crees que debes escribir?
    b. ¿Qué te gustaría contar en tu diario?
    c. ¿A quién te gustaría leérselo?

3. Escribe una página para tu diario. Sigue estos pasos:

Primer paso: El plan
Anota en una hoja de papel los sucesos más interesantes que te hayan ocurrido hoy. Incluye tus opiniones y sentimientos. Contéstate a ti mismo algunas preguntas.

Organiza tus preguntas y notas en un cuadro como el siguiente:

La fecha de hoy:		
¿Qué pasó?	¿Qué hice yo? ¿Qué hicieron otros?	¿Cómo me sentí? ....

Segundo paso: El borrador
Confirma que has apuntado información sobre los sucesos del día, tus actividades y tus reacciones. Si necesitas añadir algo, hazlo. Luego usa tus notas para escribir un borrador. Comienza con un párrafo que menciona un suceso que para ti fue importante. Trata de interesar al lector con tus palabras. Luego, menciona en otro párrafo qué hiciste tú y que hicieron otros. Después, termina con un párrafo donde expresas cómo te sentiste.

Tercer paso: La revisión
Revisa tu borrador. Léelo en voz baja y presta atención a las ideas que has escrito. Haz los cambios que creas necesarios. Luego intercambia tu escrito con un compañero o compañera y pregúntale qué sugerencias tiene sobre tu trabajo. Revisen cada uno el trabajo del otro. Presten atención a aspectos como los siguientes:

- ¿Está presentado el tema de manera que interesa al lector?
- ¿Están las ideas presentadas en un orden lógico?
- ¿Usas demasiado la palabra *y* en tus oraciones? ¿Separaste las oraciones con puntos?
- ¿Hay en cada párrafo una idea principal y el primer renglón empieza más adentro?
- ¿Están bien los tiempos verbales y la concordancia de género (masculino o femenino) y número (singular o plural)?
- ¿Está correcta la ortografía, el uso de letras mayúsculas y la puntuación?

Cuarto paso: La presentación
Haz los cambios necesarios y pasa en limpio tu escrito. No olvides poner la fecha como título. Haz un dibujo que vaya con tu escrito si te parece que hará más atractivo tu diario. Comparte y presenta tu trabajo según te lo indique tu maestro o maestra.

Agua va, agua viene

En esta unidad vas a:

- leer acerca de cómo conservar el agua.

- aumentar tu vocabulario para hablar del agua.

- relacionar la letras *g* y la combinación *gu* al sonido /g/.

- recordar qué expresan los verbos y las formas verbales.

- leer cómo viaja una gota de agua.

- describir un ciclo.

CÓMO CONSERVAR EL AGUA

El agua es necesaria para vivir. Todos usamos agua. El agua de las nubes llena los ríos, los mares, los lagos y los depósitos de agua. Además, los campos y los prados se ponen verdes con la lluvia. Cuando llueve, todo crece. Cuando no llueve, todo se seca. Todos debemos conservar el agua porque sin agua no hay vida.

¿Qué podemos hacer para conservar el agua?

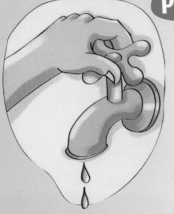

Cierra bien las llaves de los chorros. Así no gotean.

¡Papá, no dejes correr el agua cuando te rasuras!

No dejemos correr el agua cuando nos cepillamos los dientes.

Pon una cubeta afuera para recoger el agua de la lluvia. Úsala para regar cuando no llueve.

No pases más de cinco minutos bajo la ducha.

¿De qué otras maneras puedes conservar el agua?

Conversemos

| ¿Qué deportes acuáticos te gustan? | Me gusta… |
| | No me gusta ninguno. |

¿Para qué usas el agua?	Uso el agua para	beber.
		bañar a mi perro.
		lavarme.

¿Para que más se usa el agua en tu casa?	Se usa el agua para	lavar la ropa.
		cocinar.
		lavar el carro.
		regar las plantas.

| ¿Por qué es necesario conservar agua? | Porque… |

El agua

Los cuerpos de agua

el lago

el río

el océano y los mares

Los estados del agua

sólido

líquido

gaseoso

Los cambios de estado

- Evaporación es el cambio a vapor de agua cuando el agua líquida se calienta.
- Condensación es el cambio a agua líquida cuando el vapor de agua se enfría.
- Solidificación es el cambio a hielo cuando el agua líquida se enfría.
- Fusión es el cambio a agua líquida cuando el hielo se calienta.

Los usos del agua

beber

bañarse

regar

lavar

La letra *g* y la combinación *gu*

- Lee en voz alta.

El gato de Gabriel
es un gato que no parece gato.

Toma una manguera.
Riega los geranios y los girasoles.
Se pone a hacer gimnasia y luego se baña.

Se viste de gala, con guantes y gorra.
Come golosinas que le da Gabriel.

APRENDE

La letra *g* representa dos sonidos, uno que es /g/ y otro que es /j/.

- La letra *g* representa el sonido /g/ delante de las vocales *a, o* y *u*.
  Ejemplos: gato, gorra, gusta

- La letra *g* representa el sonido /j/ delante de las vocales *i* y *e*.
  Ejemplos: geranio, gimnasia, gente

- Para representar el sonido /g/ delante de las vocales *i* y *e* se usa la combinación *gu*.
  Ejemplos: manguera, guitarra

RETO

Reúnete con un compañero o compañera para escribir una lista de diez palabras que tienen el sonido /g/ representado por *ga, gue, gui, go, gu*. Hagan otra lista de cinco palabras con el sonido /j/ representado por *ge, gi*.

 **El infinitivo**

- Lee y contesta.

Me gusta **tomar** el sol.

Me gusta **escribir** en la computadora.

Me gusta **leer** novelas de misterio.

¿Qué le gusta hacer a la niña?

¿Qué te gusta hacer a ti?

RECUERDA

Recuerda que en español los verbos en el infinitivo se dividen en tres grupos. Estos tres grupos tienen las terminaciones –ar, –er, –ir. El infinitivo es la forma básica de la que se derivan las demás formas del verbo.

Ejemplos:

verbos en –ar	verbos en –er	verbos en –ir
cuidar	beber	dividir
estar	correr	repetir
lavar	recoger	salir

RETO

Haz una lista de cinco verbos que terminan en –ar, tres que terminan en –er y dos que terminan en –ir.

Repaso — Las formas verbales

- Lee y contesta.

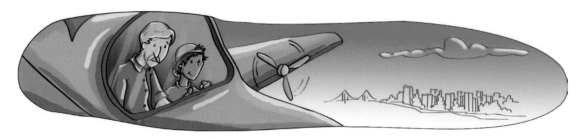

Ayer **volé** a San Antonio. Hoy **estoy** en Nueva York. Mañana **volaré** a Los Ángeles.

¿Cuál es el verbo en la primera oración? ¿Se refiere al presente o al pasado?
¿Cuál es el verbo en la tercera oración? ¿Se refiere al presente o al futuro?
¿Qué verbo se refiere al presente?

RECUERDA

Las formas verbales expresan distintos aspectos de la acción:

1. El tiempo, que puede ser pasado, presente o futuro.

Tiempo	Ejemplo
pasado	Ayer estuve en una fiesta.
presente	Hoy estoy en clase.
futuro	Mañana estaré en clase otra vez.

2. El número de los que realizan la acción: singular (si se refiere a uno) o plural (si se refiere a más de uno).

Número	Ejemplo
singular	Ayer estuve en una fiesta.
plural	Ayer estuvimos en una fiesta.

3. La persona, que puede ser primera, segunda o tercera, singular o plural.

Persona	Ejemplo
primera, singular	Ayer (yo) estuve en una fiesta.
primera, plural	Ayer (nosotros) estuvimos en una fiesta.
segunda, singular	Ayer (tú) estuviste en una fiesta.
segunda, plural	Ayer (ustedes) estuvieron en una fiesta.
tercera, singular	Ayer (él/ella) estuvo en una fiesta.
tercera, plural	Ayer (ellos) estuvieron en una fiesta.

RETO ¿Dónde *estuviste* anoche? ¿Dónde *estás* ahora? ¿Dónde *estarás* mañana?

¡Ay, cuánto viajo!

Este cuento trata de lo que hay dentro de las nubes... y de los mares.... y de los ríos y de los lagos... y de los vasos... Este cuento trata de las gotas de agua.

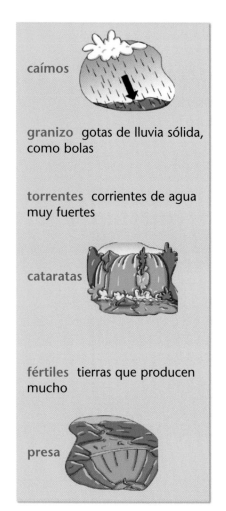

caímos

granizo gotas de lluvia sólida, como bolas

torrentes corrientes de agua muy fuertes

cataratas

fértiles tierras que producen mucho

presa

Yo estaba aquí arriba, en una nube. Viajaba y veía el mundo. Un día comenzó a hacer frío. Entonces, unas compañeras y yo nos convertimos en lluvia y caímos de las nubes. Otras se convirtieron en granizo o nieve y también cayeron a la tierra.

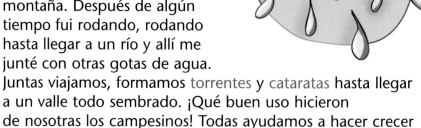

En la tierra, yo estuve en un lago en lo alto de una montaña. Después de algún tiempo fui rodando, rodando hasta llegar a un río y allí me junté con otras gotas de agua. Juntas viajamos, formamos torrentes y cataratas hasta llegar a un valle todo sembrado. ¡Qué buen uso hicieron de nosotras los campesinos! Todas ayudamos a hacer crecer las plantas.

Cuando seguimos el viaje por el río, los campos se veían fértiles. De repente, mis compañeras y yo oímos un gran ruido: habíamos llegado a una presa. Allí trabajamos para

producir energía eléctrica, tan importante para que funcionen las fábricas, las máquinas, y para tener luz en las casas.

Cuando terminamos, una de mis compañeras me preguntó: —Y ahora… ¿adónde vamos?

—Pues no sé, creo que al mar —le contesté.

—¡Qué va! Primero vamos a pasar por una gran ciudad —nos dijo otra gota de agua que nos escuchaba.

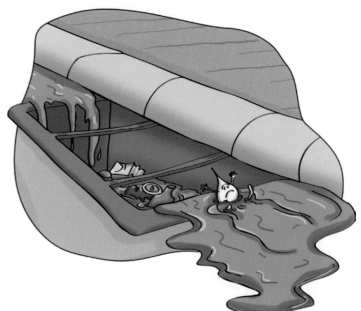

¡Y así fue! Atravesamos la presa y muy pronto íbamos por unos tubos. Así llegamos a la ciudad.

En la ciudad, nos usaron para muchas cosas. Unos niños nos bebieron. Así aprendí que los humanos necesitan agua para vivir. A mí me tocó apagar un incendio. Cuando terminé, caí en un agujero y me puse toda sucia. Allí no había peces como en el río. Sólo había basura.

incendio

agujero hoyo

detergente jabón o producto para lavar ropa

Continuamos el viaje y llegamos al mar. Las gotas de agua salada no querían tratar con nosotras: —¡Qué horror! Ya viene el agua sucia de la ciudad —dijeron unas.

—¡Y vendrá contaminada y llena de detergente! —exclamaron otras gotas limpias y saladas.

No querían comprender que estábamos sucias porque habíamos trabajado mucho.

Yo pasé un tiempo esperando, hasta que el calor del sol me evaporó, y ahora estoy otra vez en una nube.

Puedo volver a contar este cuento porque el viaje se repite y siempre trata de lo que hay dentro de las nubes… y de los mares… y de los ríos y de los lagos… y de los vasos de agua que beben los humanos cuando tienen sed.

Adaptación de una historia
de Miguel Ángel Pacheco
y José Luis García Sánchez.

1. ¿De qué trata el cuento que leíste?
   Trata de...
   a. cuánto llueve en el campo.
   b. el ciclo del agua.
   c. el agua sucia.

2. ¿Quién cuenta el cuento?
   a. Una niña.
   b. Una persona mayor.
   c. Una gota de agua.

3. ¿Qué dibujo representa de dónde proviene el agua?

   a.    b.    c.

4. ¿Por qué estaban fértiles los campos?
   Porque...
   a. las gotas regaron la tierra.
   b. los campesinos trabajaron mucho.
   c. no llovió en el verano.

5. Al final de la historia, ¿dónde está la gota de agua?
   a. Sentada al sol.
   b. En el mar.
   c. En una nube.

6. ¿Volverá la gota a hacer este viaje? Explica por qué sí o por qué no.

ACTIVIDAD

- Representa la historia que has leído en una serie de bosquejos. En el primero, muestra cómo comienza su viaje la gota de agua. En los demás bosquejos, muestra qué hace sucesivamente hasta el final.

Describir un ciclo

1. Lee la descripción del ciclo del agua que escribió Mario para la clase de ciencias.

EL CICLO DEL AGUA

El agua siempre está en movimiento. Éste es un proceso que llamamos "el ciclo del agua". Ocurre por etapas:

Primera etapa: El sol calienta el agua de los mares, los lagos, los océanos y los ríos. Entonces el agua se evapora poco a poco. El vapor de agua se eleva hacia el cielo y forma las nubes.

Segunda etapa: El viento sopla y enfría las nubes. Las nubes se mueven hacia los campos y las montañas.

Tercera etapa: Cuando las nubes se enfrían, se convierten en lluvia o nieve. Si hace mucho frío, la lluvia cae en forma de nieve. De esta manera, el agua regresa a la tierra.

Cuarta etapa: La lluvia y la nieve derretida bajan de las montañas y los lugares altos. El agua corre por los ríos hasta regresar al mar. Allí el ciclo termina y empieza otra vez.

2. Un ciclo es una actividad que ocurre en varias etapas. Cuando describimos un ciclo, debemos explicar cómo ocurre cada etapa.

   a. ¿Qué ciclo ocurre en tu escuela todos los días?
   b. ¿Te gustaría describir ese ciclo?
   c. ¿Cómo lo harías?

3. Describe cómo ocurre un ciclo. Sigue estos pasos:

Primer paso: El plan

Anota en una hoja de papel algunos ciclos que puedas describir porque los conoces, como el ciclo de vida del salmón o el ciclo de vida de la mariposa. También puedes describir el ciclo de ir a la escuela todos los días, saliendo de casa y regresando a ésta.

Organiza tus notas en un cuadro como el siguiente. El número de etapas puede variar según el ciclo.

Ciclo:		
Primera etapa:	Segunda etapa:	Tercera etapa: ....

Segundo paso: El borrador

Confirma que has apuntado información sobre las etapas. Si necesitas añadir algo, hazlo. Luego usa tus notas para escribir un borrador. Comienza con un párrafo que introduce el ciclo. Trata de interesar al lector con tus palabras. Luego escribe cada etapa en un párrafo aparte. Puedes empezar cada párrafo con un número ordinal (*primero, segundo, tercero,…*) como en el ejemplo.

Tercer paso: La revisión

Revisa tu borrador. Léelo en voz baja y presta atención a las ideas que has escrito. Haz los cambios que creas necesarios. Luego intercambia tu escrito con un compañero o compañera y pregúntale qué sugerencias tiene sobre tu trabajo. Revisen cada uno el trabajo del otro. Presten atención a aspectos como los siguientes:

- ¿Está presentado el tema de manera que interesa al lector?
- ¿Están las ideas presentadas en un orden lógico?
- ¿Usas demasiado la palabra *y* en tus oraciones? ¿Separaste las oraciones con puntos?
- ¿Hay en cada párrafo una idea principal y el primer renglón empieza más adentro?
- ¿Están bien los tiempos verbales y la concordancia de género (masculino o femenino) y número (singular o plural)?
- ¿Está correcta la ortografía, el uso de letras mayúsculas y la puntuación?

Cuarto paso: La presentación

Haz los cambios necesarios y pasa en limpio tu escrito. No olvides el título. En otra hoja haz un dibujo que vaya con tu escrito si te parece que ayudará al lector. Comparte y presenta tu trabajo según te lo indique tu maestro o maestra.

Deportes

En esta unidad vas a:

- leer acerca de cómo se juega al fútbol.

- aumentar tu vocabulario para hablar de deportes.

- relacionar la letras *k* y *c* y la combinación *qu* al sonido /k/.

- repasar formas verbales con cambios en la raíz, *e→ie*, *o→ue*.

- leer la historia de un niño en silla de ruedas que juega al fútbol.

- escribir una pequeña biografía de un atleta o deportista famoso.

Las reglas del fútbol

equipos grupos de jugadores que se disputan un partido
anotar ganar puntos
césped hierba, grama, zacate

¿Quiénes juegan?

Dos equipos de once jugadores cada uno.

¿Cómo se juega?

Los jugadores mueven una pelota para tratar de anotar goles. Los jugadores pueden mover la pelota con los pies, la cabeza y otras partes de cuerpo, pero nunca con las manos. Solamente el portero puede tocar la pelota con las manos.

¿Cómo se anota un gol?

Un gol se anota cuando uno de los equipos mete la pelota en la portería contraria, porque el portero no pudo parar la pelota.

¿Dónde se juega?

Se juega en un campo rectangular de césped o tierra. El área de juego está marcada con líneas blancas.

¿Cuánto dura un partido?

Un partido dura 90 minutos, que se dividen en dos tiempos de 45 minutos. Si al final del partido hay empate, se juega un tiempo extra, generalmente de 10 minutos.

¿Quién dirige el partido?

Un árbitro o referí y dos asistentes que son los jueces de línea.

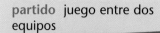

partido juego entre dos equipos

Conversemos

¿Qué haces por las tardes, después de la escuela?

Juego con mis amigos.
Vuelvo a casa.
Miro televisión.

¿A qué hora vuelves a casa?

Vuelvo a las...

¿Qué tan

alto
rápido
lejos

puedes

patinar?
saltar?
correr?
lanzar una pelota?
nadar?

¿Cuál es tu equipo favorito?

Los...

¿Cómo te sientes cuando tu equipo gana?

Cuando gana me siento...

¿Cómo te sientes cuando pierde?

Cuando pierde me siento...

Deportes y deportistas

Nombres de deportes	Personas que lo practican
la natación	el nadador, la nadadora
el esquí	el esquiador, la esquiadora
el tenis	el/la tenista
el fútbol	el/la futbolista
el béisbol	el/la beisbolista
el básquetbol	el/la basquetbolista
la gimnasia	el/la gimnasta

anotar un gol

anotar una carrera

ganar un torneo

Eventos

la Copa Mundial de Fútbol

las Olimpiadas de Invierno

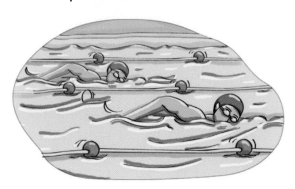
las Olimpiadas de Verano

la Serie Mundial de Béisbol

Las letras *c* y *k* y la combinación *qu*

- Lee en voz alta.

¿Karate o básquetbol?
¿Qué te gusta más?
Camilo es karateca;
le gusta el combate.
Yo, basquetbolista;
me gusta correr.
¿Qué te gusta más,
el karate o el básquetbol?

APRENDE

Las letras *c*, *k* y la combinación *qu* representan el sonido /k/.

- La letra *c* representa este sonido delante de las vocales *a*, *o*, *u* y de otra consonante.

  Ejemplos:
  Con Carlos somos cuatro jugadores.
  ¿En qué actividades tomas parte?

- La combinación *qu* se usa para representar el sonido /k/ delante de las vocales *i* y *e*.

  Ejemplos:
  Mi equipo ganó por dos carreras.
  Quique quiere un poquito más de queso.

- La letra *k* también representa el sonido /k/ delante de todas las vocales, pero hay muy pocas palabras que se escriben con la letra *k*. Por lo general, estas palabras no son de origen español.

  Ejemplo:
  El karate y el kimono son productos de la cultura japonesa.

RETO

Lee otra vez el texto de arriba. Copia las palabras que tienen el sonido /k/ representado por *ca*, *que*, *qui*, *co*, *cu*. Pon las palabras con *c* en una columna y las palabras con *qu* en otra.

Verbos con cambios en la raíz: *o → ue* y *e → ie*

● Lee y contesta.

Sara **almuerza** en la escuela.

Vuelve a casa en autobús.

Duerme nueve horas todas las noches.

¿Dónde almuerza Sara?

¿Cómo vuelve a casa?

¿Cuántas horas duerme?

RECUERDA

Recuerda que las formas verbales tienen dos partes: una es la raíz y la otra es la terminación. En algunos verbos que ya conoces, las terminaciones son regulares, pero las vocales de la raíz cambian. El cambio ocurre en las formas del presente, excepto en la primera persona plural, *nosotros*.

Fíjate cómo la raíz cambia de *o* a *ue* en estos verbos:

	almorzar	*volver*	*dormir*
(yo)	almuerzo	vuelvo	duermo
(tú)	almuerzas	vuelves	duermes
(él, ella)	almuerza	vuelve	duerme
(usted)	almuerza	vuelve	duerme
(nosotros, –as)	almorzamos	volvemos	dormimos
(ellos, ellas)	almuerzan	vuelven	duermen
(ustedes)	almuerzan	vuelven	duermen

Contar, *encontrar*, *poder* y *recordar* son otros verbos con el mismo cambio en la raíz.

En otros verbos, la raíz cambia de *e* a *ie*:

	pensar	*entender*	*sentir*
(yo)	pienso	entiendo	siento
(tú)	piensas	entiendes	sientes
(él, ella)	piensa	entiende	siente
(usted)	piensa	entiende	siente
(nosotros, –as)	pensamos	entendemos	sentimos
(ellos, ellas)	piensan	entienden	sienten
(ustedes)	piensan	entienden	sienten

Cerrar, *comenzar*, *querer* y *perder* son otros verbos con el mismo cambio en la raíz.

Ejemplos:

¿Dónde **encuentro** la respuesta?
Ellas **cuentan** chistes muy divertidos.
Marcelo no **recuerda** el nombre.
Las clases **comienzan** a las ocho.
No **pierdas** el tiempo.

¿Cuáles son las formas de los verbos *encontrar* y *perder* en el presente?

El pretérito de verbos con cambios en la raíz

- Lee y contesta.

—**Perdí** mi calculadora.

—Toma, yo **encontré** tu calculadora.

¿Qué perdió la niña?
¿Qué encontró el niño?

Por lo general, en el tiempo pretérito los cambios en la raíz no ocurren. Solamente algunos verbos del grupo –*ir* tienen un cambio que aprenderás más adelante.

	encontrar	*perder*
(yo)	encontré	perdí
(tú)	encontraste	perdiste
(él, ella)	encontró	perdió
(usted)	encontró	perdió
(nosotros, –as)	encontramos	perdimos
(ellos, ellas)	encontraron	perdieron
(ustedes)	encontraron	perdieron

Ejemplos: **Encontraron** la ruta en el mapa.
Tú contaste una historia triste.
Entendí toda la lección.

¿Cuáles son las formas de los verbos *volver* y *entender* en el pretérito?

Un nuevo amigo

Sara, Emilio y otros niños y niñas de su clase van a jugar fútbol en el campo cerca de la escuela. Como son siete, un número impar, tienen que jugar cuatro contra tres.

De pronto oyeron una voz desde la distancia:

—¿Puedo jugar con ustedes?

Al borde del campo estaba un niño de unos once años en una silla de ruedas. Sara y sus compañeros estaban confundidos. Emilio, que estaba más cerca del niño, dijo:

—Claro, así jugamos cuatro contra cuatro.

—¿De qué quieres jugar? —preguntó Sara.

—De portero, así corro menos... Me llamo Luis.

Luis demostró ser buen jugador. Con las manos controló las ruedas de su silla y paró casi todos los balones. Su equipo ganó cinco goles a tres.

Resultó que Luis vivía en el mismo barrio que Sara y Emilio, así que los tres regresaron juntos a casa.

Cuando llegaron, el pequeño Telmo, corrió a reunirse con ellos. Sin pensarlo dos veces, le preguntó a Luis:

—¿Por qué andas en esa silla de ruedas?

Sara miró a Telmo con desaprobación.

impar 3, 5, 7, 9...

al borde a la orilla

balones pelotas de fútbol

desaprobación

—Éste es Telmo —le explicó Emilio a Luis—, el terror del barrio.

—Hola, Telmo —saludó Luis sonriendo—. Estoy en silla de ruedas porque tengo parálisis en las piernas.

—¿Parali qué?

—Parálisis. Tengo las piernas débiles y no me sostienen. Sólo puedo caminar si me apoyo en alguien.

Para alivio de Sara y Emilio, en ese momento la mamá de Telmo lo llamó.

Luego de una pausa, Sara le preguntó:

—¿Tuviste un accidente?

—No, es de nacimiento.

—¿Y no estarías mejor en una ciudad grande? —preguntó Emilio.

—¿Lo dices porque allí hay organizaciones y centros especiales para niños como yo?

—Sí, claro. Y más médicos y todo eso...

—Es cierto, pero el campo es bueno para mí. No hay tanta gente ni carros como en la ciudad.

—¡Ah, claro! —dijo Sara—. Te puedes movilizar mejor.

—Exacto. A veces siento que no necesito las piernas para nada —dijo Luis. Después de una pausa, se despidió: —Bueno, hasta luego.

Hasta luego, Luis —dijeron a coro Sara y Emilio, viendo como su nuevo amigo impulsaba las ruedas de su silla hacia la rampa que lo lleva a la puerta de su casa.

—Qué suerte tenemos —comentó Sara.

—¿De poder caminar?

—No, qué suerte tenemos de tener un nuevo amigo como él.

parálisis no tener movimiento de una parte del cuerpo

sostienen del verbo *sostener*; dan soporte

alivio sentirse mejor

movilizar mover de un lugar a otro

impulsaba del verbo *impulsar*; daba movimiento

1. ¿De qué trata la historia que leíste?

   a. De unos niños que hacen un nuevo amigo.

   b. De un juego de fútbol.

   c. De una conversación con un niño que es el terror del barrio.

2. ¿Cómo jugó Luis el partido de fútbol?

   a. No jugó. Se quedó mirando a los otros niños.

   b. Muy bien, paró muchos goles en la portería.

   c. Estuvo conversando con Sara y Emilio durante todo el partido.

3. ¿Por qué Luis necesita una silla de ruedas para moverse?

   a. Porque tuvo un accidente.

   b. Porque es divertido.

   c. Porque es paralítico.

4. ¿Por qué dice Luis que prefiere el campo y no la ciudad?

   a. Porque es más fácil usar la silla de ruedas en el campo.

   b. Porque hay más doctores en el campo.

   c. Porque tiene muchos amigos en el campo.

5. ¿Qué ocurre al final?

   a. Sara y Emilio se despiden de Luis y se van a su casa.

   b. Sara y Emilio comentan la suerte que tienen de tener un amigo como Luis.

   c. Luis se va a la casa de Emilio.

6. ¿A qué deporte juegas tú?

ACTIVIDAD

• Reúne las respuestas de la pregunta 6 en una gráfica de barras que muestre cuáles son los deportes que más juegan tus compañeros y tú. Escribe los nombres de los deportes en una columna y muestra los datos a la derecha. Fíjate en este ejemplo:

Los deportes que más jugamos

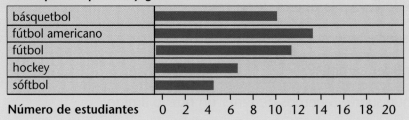

básquetbol	
fútbol americano	
fútbol	
hockey	
sóftbol	

Número de estudiantes   0 2 4 6 8 10 12 14 16 18 20

Biografías de deportistas y atletas

1. Lee la biografía que escribió Betty sobre un jugador de fútbol.

CLAUDIO REYNA, EL GRAN FUTBOLISTA

Reyna electriza a las multitudes que admiran su habilidad como jugador de fútbol. Este deportista, que ha sido capitán del equipo nacional de fútbol de nuestro país, nació en Livingston, New Jersey, el 20 de julio de 1973. Antes de cumplir los 20 años, Claudio Reyna ya era conocido como un gran jugador.

La revista "Parade Magazine" lo premió como Jugador Nacional del Año en 1989 y 1990. Entonces, Reyna estudiaba en la St. Benedicts Prep High School de Newark, New Jersey. El equipo de fútbol de su escuela perdió sólo dos partidos durante los años en que Reyna jugó.

Claudio Reyna comenzó a ser conocido en todo el mundo en 1992, cuando era el jugador más joven del Equipo Olímpico de nuestro país en las Olimpiadas de Barcelona. Reyna juega como mediocampista y todos lo hemos visto jugar en los partidos de la Copa Mundial. Tiene el honor de ser el primer jugador estadounidense nombrado Jugador Estrella de la Copa Mundial.

Hoy en día, Reyna juega regularmente en equipos europeos. En Europa ha llegado a ser uno de los principales futbolistas del mundo.

2. Hay muchos atletas y deportistas famosos que se han destacado en diferentes deportes y competencias.

   a. ¿Qué atleta o deportista te interesa investigar?
   b. ¿A qué deporte se dedica?
   c. ¿Cómo puedes averiguar información sobre esta persona?

3. Escribe una pequeña biografía sobre un atleta o deportista. Sigue estos pasos:

Primer paso: El plan
Recuerda que el propósito de una biografía es narrar la vida de una persona. ¿Qué datos interesantes puedes narrar sobre la vida de la persona que vas a investigar? Busca la información que necesitas en libros, anuarios deportivos y en la Internet.

Organiza la información en un cuadro como el siguiente:

Nombre del deportista o atleta:		
Datos personales	Datos profesionales	Rasgos y sucesos que distinguen a esta persona
....	....	....
....	....	....

Segundo paso: El borrador
Confirma que has apuntado información sobre cómo es esta persona y qué ha hecho para ser famosa. Si necesitas añadir algo, hazlo. Luego usa tus notas para escribir un borrador. Comienza con un párrafo en el que presentas a la persona. Trata de interesar al lector con tus palabras. Luego escribe sobre distintos períodos de su vida en párrafos aparte. Al final, escribe una conclusión.

Tercer paso: La revisión
Revisa tu borrador. Léelo en voz baja y presta atención a las ideas que has escrito. Haz los cambios que creas necesarios. Luego intercambia tu escrito con un compañero o compañera y pregúntale qué sugerencias tiene sobre tu trabajo. Revisen cada uno el trabajo del otro. Presten atención a aspectos como los siguientes:

- ¿Está presentado el tema de manera que interesa al lector?
- ¿Están las ideas presentadas en un orden lógico?
- ¿Usas demasiado la palabra *y* en tus oraciones? ¿Separaste las oraciones con puntos?
- ¿Hay en cada párrafo una idea principal y el primer renglón empieza más adentro?
- ¿Están bien los tiempos verbales y la concordancia de género (masculino o femenino) y número (singular o plural)?
- ¿Está correcta la ortografía, el uso de letras mayúsculas y la puntuación?

Cuarto paso: La presentación
Haz los cambios necesarios y pasa en limpio tu escrito. No olvides el título. Puedes incluir una foto de la persona. Comparte y presenta tu trabajo según te lo indique tu maestro o maestra.

Vecinos reales e imaginarios

En esta unidad vas a:

- leer un poema de alguien que busca una casa.

- aumentar tu vocabulario para hablar de tu vecindario o barrio.

- relacionar la letras *b* y *v* al sonido /b/.

- aprender el tiempo verbal *pretérito imperfecto* para hablar del pasado.

- leer la historia de un niño y una niña de países imaginarios.

- describir un vecindario.

Aviso clasificado

mundo

paisajes vistas

magos

tras detrás

arda que está ardiendo,
que calienta mucho

amplia grande, muy abierta

pecera

Busco una casita
con cinco ventanas,
por las que entre el mundo
cuando tenga ganas;
y que detrás de ellas
se abran los paisajes
cual si fueran magos
de distintos trajes.

Que tras una, el sol
arda el año entero;
que tras otra llueva
de diciembre a enero;
que la nieve dance
contra la tercera
y que, amplia, la cuarta
sea una pecera.

Y que por la quinta,
la última ventana,
¡vea tu carita
toda la semana!

Elsa Isabel Bornemann

Conversemos

¿Vives en una casa o en un apartamento?

Vivo en…

¿Cuántas ventanas tiene?

Tiene…

¿Qué ves desde las ventanas?

Veo

la calle.
el jardín.
la gente que pasa.
la casa de enfrente.
otros edificios.
…

¿Vivías allí o en otro lugar cuando eras pequeño?

Cuando era pequeño, vivía allí.

Cuando era pequeño, vivía en…

¿Qué te gustaba hacer cuando eras pequeño?

Me gustaba…

Direcciones

nombre de la persona

Dra. Isabel Martínez
Durango 298 ← calle o avenida
Colonia Roma ← barrio
06700, México D.F.
México ← país

código postal y ciudad

Luisa Fernanda Oliva
Av. San Patricio 512
Urbanización Las Lomas
Río Piedras, Puerto Rico 00921

Joaquín Aldana Fernández
Av. Jujuy 29
(1038) Capital Federal
Buenos Aires,
Argentina

Ing. Eduardo Suárez Paniagua
Av. Grau 395
Miraflores, Lima 18
Perú

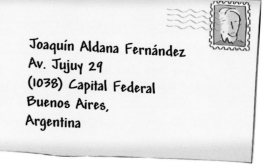

Carmen Rosa Hidalgo
Plaza Santa Ana 16
28012, Madrid
España

- ¿Cuál es la dirección de tu casa?
- ¿En qué ciudad o pueblo está?
- ¿En qué estado?
- ¿Cuál es tu código postal?

Las letras *b* y *v*

- Lee en voz alta.

Mi pueblo es bonito.
Mi casa también.
Si abro las ventanas
cuando me levanto,
entra el sol brillante
toda la mañana.

APRENDE

Recuerda que casi no hay diferencia entre el sonido de las letras *b* y *v*. Algunas reglas te pueden ayudar a saber qué palabras se escriben con *b larga* y qué palabras se escriben con *v corta*.

- Todas las formas de los verbos que tienen *b* en el infinitivo, como *abrir*, *beber*, *buscar*, *escribir*, *hablar*, *saber* y *subir*, se escriben con esta letra.

  Ejemplos:

  ¿Bebes ocho vasos de agua todos los días?
  Cuando hace frío no abrimos las ventanas.

- Todas las palabras con la combinación *br* y *bl* se escriben con *b*.

  Ejemplos:

  brazo, brillante, blanco, tabla

- Todas las formas de los verbos que tienen *v* en el infinitivo, como *lavar*, *levantar*, *visitar*, *viajar* y *vivir*, se escriben con esta letra.

  Ejemplos:

  Vivimos en Estados Unidos.
  Yo siempre me lavo las manos antes de comer.

RETO Reúnete con un compañero o compañera para escribir una lista de seis palabras que se escriben con *b* y seis que se escriben con *v*.

Introducción al pretérito imperfecto

- Lee y contesta.

Aquí está Benito cuando era bebé. Según su mamá, dormía de día y lloraba de noche. Y claro está, nadie lo entendía porque aún no hablaba.

¿Hablaba Benito cuando era bebé?

¿Qué hacía de día?

¿Qué hacía de noche?

¿Crees que ahora duerme de noche y llora de día?

APRENDE

En español los verbos tienen dos tiempos para expresar acciones y condiciones, o estados ocurridos en el pasado. El tiempo que ya conoces y usas es el *pretérito perfecto*. El tiempo que vas a aprender ahora es el *pretérito imperfecto*. Observa las formas del verbo *hablar*.

	Pretérito perfecto	Pretérito imperfecto
(yo)	hablé	hablaba
(tú)	hablaste	hablabas
(él, ella)	habló	hablaba
(usted)	habló	hablaba
(nosotros, –as)	hablamos	hablábamos
(ellos, ellas)	hablaron	hablaban
(ustedes)	hablaron	hablaban

Estos tiempos se usan según las características de las acciones o estados ocurridos en el pasado. Generalmente, el *pretérito imperfecto* se usa en la descripción de acciones y condiciones habituales o prolongadas en el pasado. El *pretérito perfecto* se usa para expresar acciones y condiciones con una duración específica.

Ejemplos:

Pretérito imperfecto

María y yo **hablábamos** por teléfono todos los días.

Mi abuela **contaba** muchos cuentos.

Cuando era bebé, **dormía** mucho.

Pretérito perfecto

María y yo **hablamos** durante media hora.

La maestra **contó** un cuento divertido.

Anoche, no **dormí**.

RETO ¿Qué hacías cuando eras bebé?

Las formas del pretérito imperfecto

- Lee y contesta.

Antes, **vivíamos** en un edificio.   Ahora **vivimos** en una casa sobre ruedas.

¿Dónde vivía esta familia antes?

¿Dónde vive ahora?

APRENDE

Las formas del pretérito imperfecto tienen terminaciones con –*aba* o –*ía*. La primera terminación se usa con verbos del grupo –*ar*. La segunda se usa con verbos de los grupos –*er* e –*ir*.

	estar	*comer*	*vivir*
(yo)	estaba	comía	vivía
(tú)	estabas	comías	vivías
(él, ella)	estaba	comía	vivía
(usted)	estaba	comía	vivía
(nosotros, –as)	estábamos	comíamos	vivíamos
(ellos, ellas)	estaban	comían	vivían
(ustedes)	estaban	comían	vivían

Ejemplos:

¿Dónde están los papeles que **estaban** aquí?
Mi papá **comía** mucho, pero ahora está a dieta.
Hablaba español con los venezolanos que **vivían** enfrente.
Jugábamos al baloncesto por las tardes.

Observa que las terminaciones que tienen –*aba* se escriben con *b larga* y no con *v corta*.

RETO

¿Cuáles son las formas de los verbos *jugar* y *querer* en el pretérito imperfecto? Escribe dos oraciones con estas dos formas.

Rongogongo y Sasal

La historia de Rongogongo

En el País de las Prisas no existía la calma. Los que vivían allí se pasaban el día corriendo de un lugar a otro. Dormían muy pocas horas y tenían el ceño fruncido. Casi siempre estaban muy cansados.

Rongogongo nació en el País de las Prisas, pero él era tranquilón y estaba siempre sonriente. A Rongogongo, después de hacer sus trabajos, le gustaba sentarse en la hierba y mirar al cielo. Todos pensaban que Rongogongo era un ser extraño. Nadie entendía por qué era tan tranquilo y por qué no le gustaba correr constantemente.

Un día, Rongogongo se fue por el mundo para ver si encontraba un país en calma. Estuvo en más de cien países y en todas partes las personas tenían prisa.

En uno de aquellos países sólo encontró a una persona que parecía tranquila. Era un viejecito que leía un libro. Se acercó a él y le preguntó si conocía algún lugar donde las personas no fueran siempre de un lugar para otro. El anciano le dijo que fuera al País de los Números. Y allí se fue Rongogongo pero tampoco le gustó.

La historia de Sasal

Los habitantes del País de los Números se pasaban el tiempo haciendo cuentas. Contaban todas las cosas que ya tenían y todas las que querían tener.

La pequeña Sasal nació en el País de los Números. Pero Sasal no quería contar, ni tener más y más cosas. Los habitantes del País de los Números no entendían a la pequeña Sasal y, un día, ella se fue a conocer el mundo.

Sasal buscaba un país distinto. Buscaba una nube de color de menta. Buscaba un huerto de coles de color de rosa. Buscaba un dragón muy manso...

---

no existía no había

ceño fruncido

tranquilón muy tranquilo, calmado

anciano persona que tiene muchos años

cuentas sumas y restas

contaban numerar para saber cuántos son

menta color verde como la yerba buena

coles repollo

manso animal tranquilo, que no ataca

El encuentro de Rongogongo y Sasal

Un día, lejos del País de las Prisas y lejos del País de los Números, Rongogongo y Sasal se encontraron. Sasal y Rongogongo se sentaron a hablar con calma.

¡Allí tenían lo que andaban buscando! ¡Allí estaba el país distinto, sin prisas y sin números! En el cielo había una nube de color de menta y en un huerto cercano nacían coles de color rosa. Y detrás de un árbol, se reía un dragón.

Sasal y Rongogongo estaban sorprendidos. En eso, el dragón los saludó, levantando la pata. Entonces, Rongogongo y Sasal dijeron al mismo tiempo:

—¡Este lugar es maravilloso!

Adaptación de una historia de Concha López-Narváez.

1. ¿De qué trata el cuento que leíste?
   Trata de...

   a. un niño al que le gustaba correr.

   b. una niña que quería una mascota.

   c. una niña y un niño que los vecinos no entendían.

2. ¿Por qué se fueron los niños por el mundo?
   Porque...

   a. no sabían hacer números.

   b. buscaban un país más a su gusto.

   c. tenían prisa.

3. ¿Qué dibujo representa lo que hacían las personas en el País de las Prisas?

   a.
   b.
   c.

4. ¿Dónde se encuentran Sasal y Rongogongo?

   a. En el País de los Números.

   b. En el País de las Prisas.

   c. En el país que buscaban.

5. ¿Qué par de palabras tienen significados opuestos?

   a. *país–nación*

   b. *cuentas–cuentos*

   c. *prisa–calma*

6. ¿Por qué no es real esta historia?

ACTIVIDAD

• Imagina que eres Rongogongo o Sasal. Haz un dibujo de tu persona en el país encontrado.

Descripción de un lugar

1. Lee cómo describió Patricia el lugar donde vive.

LA COLONIA EL CARMEN

Hay un lugar muy especial en esta ciudad que es muy grande. Ese lugar, en la colonia El Carmen, es mi vecindario.

En El Carmen siempre hay alguien con quien jugar. Después de la escuela, mi calle está llena de niños, pelotas, bicicletas y gritos. También hay abuelos y abuelas que se sientan en los porches de las casas y nos ven jugar. Mi abuelo dice que cuando él era niño, este vecindario no existía. Era una hacienda de ganado.

Todas las casas están pintadas con colores que me gustan. Unas son rosadas, otras amarillas. También hay verdes y hasta una que es morada. Casi todas las casas son de un piso, con barrotes en las ventanas y un jardín pequeño en el frente.

Yo estoy muy contenta viviendo en mi vecindario. Las calles siempre están limpias y la gente es amable. Hay parques bonitos y seguros. Mi vecindario es un lugar muy especial porque todos somos amigos.

2. Cuando describimos un lugar, debemos usar palabras que puedan crear una imagen mental del lugar que describimos. Al mismo tiempo, la información debe ser clara.

a. ¿Te gustaría describir el vecindario donde vives o donde está tu escuela?

b. ¿Cómo dirías que son las personas?

c. ¿Cómo dirías que son los edificios?

3. Sigue estos pasos para hacer una descripción de un vecindario:

Primer paso: El plan

Anota en una hoja de papel tus impresiones de las personas y cosas que hay en el vecindario que vas a describir.

Organiza tus notas en un cuadro como el siguiente:

Mi barrio:		
Sensaciones	**Personas**	**Lugares**
¿Qué veo?.....................	¿Cómo son?.....................	¿Cómo son las casas?...........
¿Qué escucho?...............	....	....
¿Cómo me siento allí?	¿Qué hacen?....................	¿Qué lugares hay para jugar? ....
....	....	

Segundo paso: El borrador

Confirma que has apuntado detalles de cómo es el lugar, cómo es la gente y cómo te sientes allí. Si necesitas añadir algo, hazlo. Luego usa tus notas para hacer un borrador de tu descripción. Comienza tu escrito expresando qué vas a describir. Luego escribe algunos párrafos sobre el lugar. Trata de crear imágenes en la mente del lector con tus palabras. Al final, escribe cómo te sientes viviendo allí.

Tercer paso: La revisión

Revisa tu borrador. Léelo en voz baja y presta atención a las ideas que has escrito. Haz los cambios que creas necesarios. Luego intercambia tu escrito con un compañero o compañera y pregúntale qué sugerencias tiene sobre tu trabajo. Revisen cada uno el trabajo del otro. Presten atención a aspectos como los siguientes:

- ¿Está presentado el tema de manera que interesa al lector?
- ¿Están las ideas presentadas en un orden lógico?
- ¿Usas demasiado la palabra *y* en tus oraciones? ¿Separaste las oraciones con puntos?
- ¿Hay en cada párrafo una idea principal y el primer renglón empieza más adentro?
- ¿Están bien los tiempos verbales y la concordancia de género (masculino o femenino) y número (singular o plural)?
- ¿Está correcta la ortografía, el uso de letras mayúsculas y la puntuación?

Cuarto paso: La presentación

Haz los cambios necesarios y pasa en limpio tu escrito. No olvides el título. Si quieres puedes añadir un dibujo o una fotografía de tu barrio. Comparte y presenta tu trabajo según te lo indique tu maestro o maestra.

Conociendo nuestro cuerpo

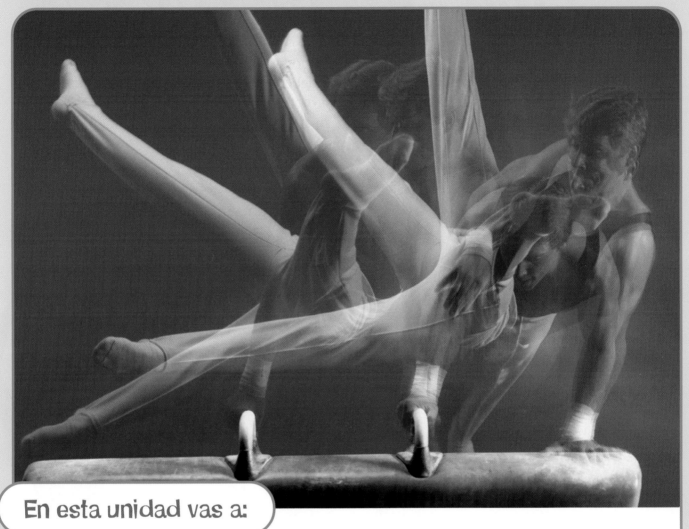

En esta unidad vas a:

- entretenerte con adivinanzas de las partes del cuerpo humano.

- aumentar tu vocabulario para hablar de las partes del cuerpo humano.

- aprender a escribir palabras con *h*.

- aprender qué tienen en común los verbos *decir*, *hacer*, *poner* y *salir*.

- leer acerca del corazón.

- escribir un texto informativo describiendo uno de los sistemas del cuerpo humano.

Adivina, adivinador

- Aquí tienes unas adivinanzas para poner a prueba tus **conocimientos** sobre el cuerpo humano. ¿A qué parte del cuerpo se refiere cada adivinanza? Si necesitas ayuda para contestar, consulta la ilustración de la página 52.

vieja anciana

piedra roca pequeña

manjar cosa rica de comer

barba

A cada lado de tu cabeza,
mi nombre rima con vieja.

Como la piedra son duros,
para el perro, un buen manjar;
y sin ellos tú no puedes
ni saltar ni caminar.

¿Por qué me escondes
tras larga barba
si es lo que admiras
en la jirafa?

Sin ser globos,
nos inflas.
Cuando espiras,
nos desinflas.

espiras sacas el aire

Somos dos ventanas
por donde tú miras.
Siempre estamos juntas;
abiertas de día,
cerradas de noche.

Los puedes tocar,
los puedes lavar,
los puedes cortar,
pero no contar.

Conversemos

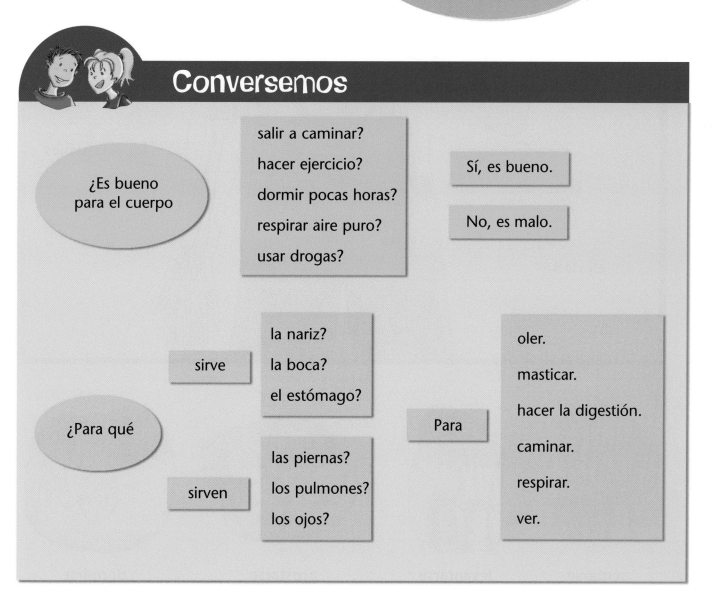

¿Es bueno
para el cuerpo

salir a caminar?

hacer ejercicio?

dormir pocas horas?

respirar aire puro?

usar drogas?

Sí, es bueno.

No, es malo.

sirve

la nariz?

la boca?

el estómago?

¿Para qué

las piernas?

sirven

los pulmones?

los ojos?

Para

oler.

masticar.

hacer la digestión.

caminar.

respirar.

ver.

Algunas partes del cuerpo humano

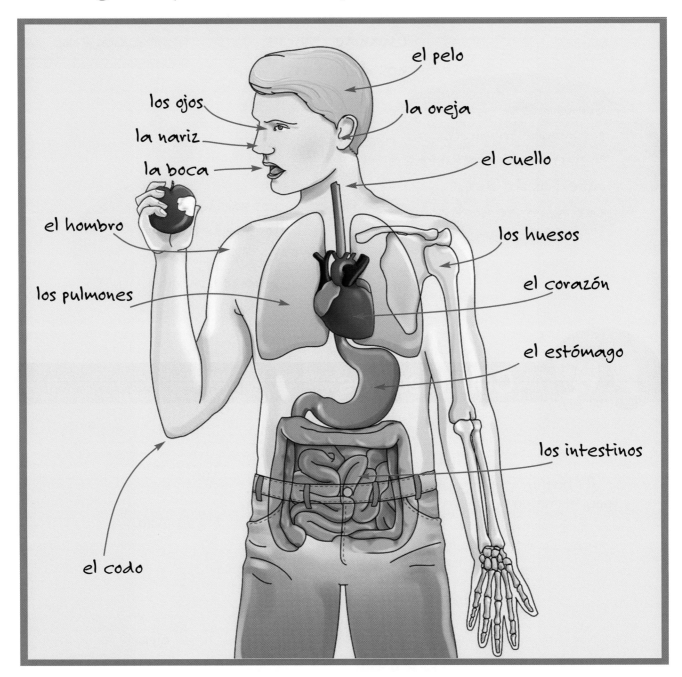

el pelo

los ojos

la oreja

la nariz

la boca

el cuello

el hombro

los huesos

el corazón

los pulmones

el estómago

los intestinos

el codo

sentarse

levantarse

acostarse

dormirse

La letra *h*

- Lee en voz alta.

Pobre **Héc**tor. Tuvo un accidente.   Tiene un **hue**so roto.   ¿Qué **hac**e a**hor**a para caminar?

APRENDE

Recuerda que la letra *h* no representa ningún sonido. Es muda. Algunas reglas te pueden ayudar a saber qué palabras se escriben con *h*:

- El saludo *hola* y varias palabras exclamativas como *¡ah!* y *¡oh!*.

  Ejemplos:
  Hola Javier, ¿cómo estás?
  ¡Ah, qué sorpresa!

- Las palabras *hay* y *había* expresan *estar* o *existir*. Recuerda que *hay* equivale a *there is* o *there are* en inglés. *Había* equivale a *there was* o *there were*.

  Ejemplos:
  Los sábados no hay clases.
  Había mucha gente en el cine.

- Todas las formas de los verbos que tienen *h* en el infinitivo, como *hablar* y *hacer*.

  Ejemplos:
  ¿Hablaste en clase hoy?
  Nosotras hacemos ejercicio todos los días.

- Todas las palabras que empiezan con el sonido *ue–*, como *hueso* y *huevo*.

  Ejemplo:
  ¿Cuántos huesos tiene el cuerpo humano?

En muchos otros casos, lo mejor es memorizar las palabras que se escriben con *h*, como éstas que ya conoces: *hombre, hambre, hombro, humano, hoja, hoy, horrible* y *hora*.

RETO

Reúnete con un compañero o compañera. Escriban juntos una lista de todas las palabras que conozcan que se escriben con *h*.

Verbos con *g* en la primera persona del singular

- Lee y contesta.

Antes de acostarme, **pongo** el despertador.

Por la mañana, **hago** mi cama cuando me levanto.

Salgo para la escuela a las siete y media.

Digo buenos días cuando entro a mi salón.

¿Pones tú el despertador antes de acostarte?

¿Haces tu cama por las mañanas?

¿A qué hora sales para la escuela?

¿Dices buenos días cuando entras a tu salón?

APRENDE

Los verbos *poner* y *salir* son como el verbo *tener* que ya conoces en el tiempo presente. Se pone una *g* entre la raíz y la terminación para la primera persona del singular (yo).

	poner	*salir*
(yo)	pongo	salgo
(tú)	pones	sales
(él, ella)	pone	sale
(usted)	pone	sale
(nosotros, –as)	ponemos	salimos
(ellos, ellas)	ponen	salen
(ustedes)	ponen	salen

Los verbos *hacer* y *decir* cambian la *c* de la raíz a *g*. Observa las formas de los verbos *hacer* y *decir* en el presente.

	hacer	*decir*
(yo)	hago	digo
(tú)	haces	dices
(él, ella)	hace	dice
(usted)	hace	dice
(nosotros, –as)	hacemos	decimos
(ellos, ellas)	hacen	dicen
(ustedes)	hacen	dicen

La raíz del verbo *decir* también cambia de *e* a *i*, excepto en la primera persona del plural (*nosotros*).

Ejemplos:

Yo **salgo** a las cinco, pero mi papá **sale** más tarde.
La Srta. López **dice** que tenemos examen esta tarde.
Si quieres, **pongo** la radio.

RETO ¿A qué hora sales de la escuela? ¿Cuándo haces tus tareas?

Expresiones con *hacer*

- Lee y contesta.

La gente **hace cola** para entrar.

Los estudiantes **hacen deporte** por las tardes.

¿Te gusta hacer cola?
¿Haces deporte?

APRENDE Recuerda que el verbo *hacer* se usa para expresar cómo está el tiempo. También se usa en muchas expresiones idiomáticas.

Ejemplos:

Hago deporte con mis amigos.
Cristina **hace** el papel de la Cenicienta.
Si no entendemos, **hacemos** preguntas.

RETO Escribe tres oraciones con el verbo *hacer*, usando diferentes expresiones.

El corazón

costillas

arterias

corazón

venas

ha latido

envía manda a otro lugar

bomba
de agua

sangre líquido rojo que
circula por el cuerpo.

Dentro del pecho, protegido
por las costillas está el corazón,
un órgano que es necesario
para la vida.

El corazón es un músculo
involuntario. Esto quiere
decir que se mueve sin
que nos demos cuenta.
Hace "lup-dup-lup-
dup" setenta veces
por minuto,
aproximadamente. Es
decir, 100,000 veces al día,
36 millones de veces al año…
¡Y no descansa ni un
momento! Esto significa que el
corazón de una persona
de tu edad ha latido más
de 300 millones de veces desde el momento
de su nacimiento.

¿Qué hace el corazón?

El corazón envía la sangre a todo nuestro cuerpo.
Es como una bomba de agua que siempre está
funcionando. Se contrae y se relaja constantemente.
Bombea la sangre por las arterias con tanta fuerza
que llega a todas las partes del cuerpo. Luego,
cuando la sangre regresa por las venas, el corazón la
envía a los pulmones para tomar el oxígeno del aire
que respiramos.

Escucha el corazón

El instrumento que ves aquí es un estetoscopio. Los médicos lo usan para escuchar los sonidos del cuerpo. Tú puedes hacer un estetoscopio para escuchar los sonidos de tu corazón. Es muy fácil.

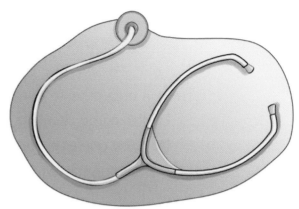

¿Qué necesitas? Un pedazo de tubo flexible y dos embudos para introducir en cada lado del tubo. También necesitas un reloj con minutero para medir un minuto.

¿Cómo lo haces? Introduce los embudos en cada lado del tubo y asegúrate de que estén bien ajustados. Es todo.

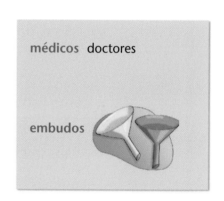

médicos doctores

embudos

¿Cómo lo usas? Pon un extremo de este simple instrumento en el lado izquierdo de tu pecho. Acerca el otro extremo a tu oído. ¿Qué escuchas?

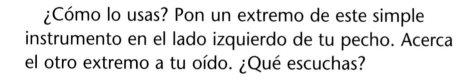

¿Cuántas veces late?

Averigua cuántas veces late tu corazón con la ayuda de un compañero o compañera.

- Toma un extremo del estetoscopio y póntelo en el lado izquierdo de tu pecho. Da a tu compañero o compañera el otro extremo para que se lo acerque al oído.
- Pídele que cuente cuántas veces late tu corazón en un minuto.
- Cambien la posición del estetoscopio y cuenta tú cuántas veces late el corazón de tu compañero o compañera.
- ¿Qué corazón late más rápido?

Contesta

1. ¿De qué trata el texto que leíste?

   a. Explica cómo circula la sangre por el cuerpo.

   b. Describe qué es el corazón y para qué sirve.

   c. Explica qué son las venas y las arterias.

2. ¿En qué parte del cuerpo está el corazón?

   a. En el pecho.

   b. En el hombro izquierdo.

   c. Debajo de las costillas.

3. ¿Cómo llega la sangre a todas las partes del cuerpo?

   a. El corazón la bombea.

   b. Los pulmones la empujan.

   c. Las venas la envían con fuerza.

4. ¿Qué usan los médicos para escuchar los sonidos del cuerpo?

   a. Un reloj.

   b. Una bomba de agua.

   c. Un estetoscopio.

5. ¿Qué par de palabras tienen significados opuestos?

   a. *corazón–pulmones*

   b. *constantemente–aproximadamente*

   c. *contrae–relaja*

6. Explica por qué el corazón es necesario para la vida.

ACTIVIDAD

- Haz un modelo del sistema circulatorio con plastilina azul y roja.

Escribir un texto informativo

1. Lee el texto siguiente que escribió Aurora sobre el sistema digestivo.

EL SISTEMA DIGESTIVO

El cuerpo está formado por diferentes grupos de órganos que forman sistemas. Uno de ellos es el sistema digestivo. La boca, el esófago, el estómago y los intestinos son órganos importantes del sistema digestivo.

Por medio del sistema digestivo, el cuerpo aprovecha las sustancias nutritivas de los alimentos y las convierte en energía. Este proceso se llama digestión.

El proceso de la digestión comienza en la boca cuando masticamos los alimentos. Los dientes deshacen los alimentos en pedazos pequeños.

El esófago es un tubo por donde pasan los alimentos masticados de la boca al estómago.

El estómago es como una bolsa. Dentro de esta bolsa los alimentos se mezclan con ácidos. Los ácidos y los movimientos del estómago deshacen aún más los alimentos. Al estar bien deshechos, los alimentos pasan poco a poco al intestino delgado.

Las paredes del intestino delgado absorben las sustancias nutritivas que ahora son un líquido. De esta manera, las sustancias nutritivas pasan a la sangre y la sangre las lleva a todas las partes de nuestro cuerpo.

Los residuos pasan al intestino grueso. Allí termina el proceso de la digestión. Más tarde, el cuerpo expulsa los residuos cuando sientes la necesidad de evacuar.

2. El propósito de un texto informativo es presentar información sobre un tema específico. La información se debe presentar en forma clara y ordenada.

   a. ¿Qué otro sistema o aparato del cuerpo humano te interesa?
   b. ¿Te gustaría escribir sobre ese sistema o aparato? ¿Cómo lo harías?
   c. ¿A quién te gustaría leérselo?

3. Describe un sistema del cuerpo humano, como el sistema respiratorio o el sistema nervioso. Sigue estos pasos:

Primer paso: El plan

Anota en una hoja de papel algunas preguntas que tengas sobre el sistema.
Por ejemplo: ¿Qué órganos son parte del sistema? ¿Para qué sirve? ¿Cómo funciona?
Luego consulta fuentes de información para contestar tus preguntas.

Organiza tus preguntas y notas en un cuadro como el siguiente:

Nombre del sistema:		
¿Qué hace?	¿Qué componentes tiene?	¿Cómo funcionan?
....	....	....
....	....	....

Segundo paso: El borrador

Confirma que has apuntado información sobre cómo es y cómo funciona el sistema, cuáles son sus partes y qué hace cada una. Si necesitas añadir algo, hazlo. Luego usa tus notas para escribir un borrador de tu descripción. Comienza con un párrafo que menciona el sistema. Trata de interesar al lector con tus palabras. Luego, menciona en otro párrafo para qué sirve el sistema. Después, explica el proceso de principio a fin, escribiendo los párrafos que sean necesarios para describir qué hace cada órgano.

Tercer paso: La revisión

Revisa tu borrador. Léelo en voz baja y presta atención a las ideas que has escrito. Haz los cambios que creas necesarios. Luego intercambia tu escrito con un compañero o compañera y pregúntale qué sugerencias tiene sobre tu trabajo. Revisen cada uno el trabajo del otro. Presten atención a aspectos como los siguientes:

- ¿Está presentado el tema de manera que interesa al lector?
- ¿Están las ideas presentadas en un orden lógico?
- ¿Usas demasiado la palabra y en tus oraciones? ¿Separaste las oraciones con puntos?
- ¿Hay en cada párrafo una idea principal y el primer renglón empieza más adentro?
- ¿Están bien los tiempos verbales y la concordancia de género (masculino o femenino) y número (singular o plural)?
- ¿Está correcta la ortografía, el uso de letras mayúsculas y la puntuación?

Cuarto paso: La presentación

Haz los cambios necesarios y pasa en limpio tu escrito. No olvides poner el título.
En otra hoja haz un dibujo que vaya con tu escrito, si te parece que ayudará al lector.
Comparte y presenta tu trabajo según te lo indique tu maestro o maestra.

La nutrición

En esta unidad vas a:

- leer recetas de cocina para preparar dos platos nutritivos.

- aumentar tu vocabulario para hablar de los alimentos.

- relacionar la consonante *ll* al sonido que representa.

- aprender qué es la forma imperativa de un verbo y cómo usarla.

- leer acerca de los alimentos y la pirámide de la nutrición.

- escribir una carta persuasiva.

Platos nutritivos

Rollos de tortilla

Ingredientes

1 bote (8 onzas) de queso crema bajo en calorías

1 lata (4 onzas) de chiles verdes picados

1 tomate pequeño cortado en trocitos

6 tortillas de harina (tamaño mediano)

8 onzas de pechuga de pollo o pavo en rodajas

hojas de lechuga

Preparación

bate mueve rápidamente con una cuchara	En un bol, bate el queso hasta que quede suave. Añade los chiles y el tomate. Mezcla bien el queso con los chiles y el tomate.
enrolla dobla en forma de cilindro	Extiende la mezcla sobre las tortillas, coloca encima rodajas de pollo o pavo y luego hojas de lechuga.
envuelve cubre	Enrolla las tortillas. Envuelve los rollos en papel toalla y ponlos en el refrigerador por dos horas.

Para servir, corta cada rollo en tres o cuatro pedazos.

Sopa de pepino fría

Ingredientes

3 pepinos

1/2 pimiento verde

1 tallo de apio

1/2 cebolla

1 bote (16 onzas) de yogur sin sabor

1 chorrito de aceite de oliva

vinagre, sal y pimienta al gusto

Preparación

Corta en trocitos los primeros 5 ingredientes. Mezcla estos ingredientes en una licuadora hasta hacer un puré.

Pon el puré en un bol. Añade el yogur y mézclalo con una cuchara de madera. Añade el chorrito de aceite, poco a poco, sin dejar de mezclar. Por último, añade el vinagre, la sal y la pimienta al gusto.

Antes de servir, pon la sopa a enfriar en el refrigerador.

licuadora

sin dejar de sin parar

Conversemos

¿Qué te gusta comer en el almuerzo?

Sándwiches de mantequilla de maní.
Burritos de frijoles.
Trocitos de zanahoria y apio.
…

¿Cuál es el alimento más nutritivo que comes?

La avena para el desayuno.
El yogur con frutas.
…

¿Cómo sabes que los alimentos que comes son nutritivos?

¿Por qué es importante comer alimentos nutritivos?

¿Qué nutriente contiene

el limón?
la leche?
la zanahoria?
la carne?

Vitamina A.
Vitamina C.
Calcio.
Proteína.

Nutrientes y alimentos

Los nutrientes son sustancias que necesita el cuerpo para estar sano y crecer bien. Los alimentos contienen nutrientes.

Los carbohidratos

Son nutrientes que nos dan energía. Los cereales como la avena contienen carbohidratos.

Las proteínas

Son necesarias para crecer y mantenerse en buenas condiciones. Los frijoles, los huevos y las carnes como el pollo contienen proteínas.

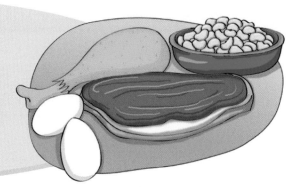

Las vitaminas

Son necesarias para que las partes del cuerpo funcionen bien. Las frutas y los vegetales contienen vitaminas. La zanahoria, por ejemplo, contiene vitamina A, que es buena para la vista.

Los minerales

Son nutrientes que ayudan a formar los huesos y otras partes del cuerpo. La leche y los productos derivados de la leche contienen calcio. Este mineral es bueno para los huesos.

La consonante *ll*

- Lee en voz alta.

Para mí, un plato con anillos, bombillas, estrellas y cepillos.

Para mí, medio pollo con cebolla, tortillas con mantequilla y un helado de vainilla.

APRENDE

La consonante *ll* representa el sonido /ll/ que es diferente al de la consonante *l*. Se escriben con *ll*:

- Todas las palabras que tienen el sonido /ll/ en la sílaba final y por lo tanto terminan en *–illo* o *–illa*, como *caballo* y *silla*.

  Ejemplo:
  Pongan las sillas sobre las mesas.

- Todas las formas de los verbos que tienen *ll* en el infinitivo, como *llamar* y *llover*.

  Ejemplos:
  Ayer llovió toda la tarde.
  Algunos bebés lloran mucho.

RETO

Reúnete con un compañero o compañera. Escriban juntos una lista de todas las palabras que conozcan que se escriben con *ll*.

El imperativo, formas en singular

- Lee y contesta.

Termina tu cereal.

Bate bien los huevos.

¿Qué le dice la mamá a su hijo? ¿Y a su hija?

¿Qué palabras son verbos en estas oraciones?

¿Qué te dice tu maestra o maestro cuando quiere que pases al pizarrón?

APRENDE

Para dar instrucciones o pedir a alguien que haga algo, se usa la forma imperativa de un verbo. Tu maestro o maestra y tus padres usan la forma imperativa cuando te dicen: *Ven al pizarrón. Cuida a tu hermanita.*

La forma imperativa que se usa para dirigirse a una persona tienen dos formas: *tú* y *usted*.

Usa la forma *tú* para dirigirte a una persona con quien te sientes en confianza; por ejemplo, con un amigo o una amiga. Observa que esta forma imperativa es igual a la forma *él/ella* del tiempo presente.

	tomar	*terminar*	*pensar*	*comer*	*escribir*
(tú, forma imperativa)	toma	termina	piensa	come	escribe
(él/ella, tiempo presente)	toma	termina	piensa	come	escribe

Ejemplos:

Forma imperativa

Toma este libro para llevar a casa.
Escribe tu nombre en esta hoja de papel.

Tiempo presente

Él **toma** el autobús a las ocho.
Ella **escribe** en la computadora.

Debes usar la forma *usted* para dirigirte a una persona a quien debes mostrar respeto; por ejemplo, con tu maestra o maestro. Observa las terminaciones de esta forma:

(usted, forma imperativa)   tom**e**   termin**e**   piens**e**   com**a**   escrib**a**

En los verbos del grupo *–ar* (como *tomar, terminar* y *pensar*) la forma *usted* de la forma imperativa termina en *–e*.
En los verbos de los grupos *–er* e *–ir* (como *comer* y *escribir*) la forma *usted* de la forma imperativa termina en *–a*.

Ejemplos:

Tome mi tarea, profesor.   Srta. Vargas, **abra** la ventana, por favor.

RETO   Pide a un compañero o compañera abrir la puerta del salón. Pide a tu maestro o maestra repetir algo.

Formas imperativas irregulares

- Lee y contesta.

Pon atención en clase.

Haz tus tareas antes de mirar televisión.

¿Pone atención en clase el estudiante?

¿Hace bien sus tareas la estudiante?

APRENDE   Estas son algunas formas imperativas irregulares. Debes aprender sus formas.

	decir	*hacer*	*ir*	*poner*	*salir*	*ser*
(tú)	**di**	**haz**	**ve**	**pon**	**sal**	**sé**
(usted)	**diga**	**haga**	**vaya**	**ponga**	**salga**	**sea**

Ejemplos:

Hijo, **ve** con tu mamá al supermercado.
Sr. Martínez, **ponga** estos platos en la mesa, por favor.

La historia de mi vida

Como todos los niños y niñas, yo fui bebé. No recuerdo nada de cómo era entonces. Mi mamá dice que yo era muy pequeñito y que lloraba todo el día y toda la noche. ¿Y saben por qué? Pues porque tenía mucha hambre. Sí, es cierto. Necesitamos alimentarnos desde que nacemos.

Al principio, como todos los bebés, no tenía dientes. Sólo me alimentaba del pecho de mi mamá. Pero pronto me salieron los dientes y entonces, ¡ya podía comer! Primero me ayudaban los mayores. Después aprendí a comer solo. Mi papá y mi mamá fueron muy cuidadosos con mis alimentos y en pocos meses me convertí en un niñito sano y fuerte. Mira esta foto que encontré en el álbum de la familia. Soy yo con mis papás cuando tenía dos años.

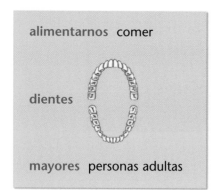

alimentarnos comer

dientes

mayores personas adultas

Ahora que ya tengo once años, sigo igual que cuando era bebé porque siempre tengo hambre. Comer es parte de nuestras actividades diarias. Pero sé que no es lo mismo comer mucho que comer bien. Debemos comer para mantenernos sanos y fuertes. Necesitamos alimentos para crecer, tener energía, formar los músculos y los huesos y mantenernos en buenas condiciones.

músculos

Por medio de nuestro sistema digestivo, el organismo toma los nutrientes que contienen los alimentos. Por eso es importante saber escoger alimentos nutritivos. La pirámide de la nutrición nos ayuda a escoger estos alimentos y las cantidades que debemos comer de cada uno.

En la pirámide de la nutrición los alimentos se dividen en seis grupos. El tamaño del espacio que ocupa cada grupo da una idea de la proporción que debes comer de cada clase de alimentos.

cereales | verduras | frutas | grasas | lácteos | carnes y frijoles

Según indica la pirámide, hay que comer más cantidad de cereales y pastas, y casi nada de grasas. La pirámide también sugiere encontrar el equilibrio entre lo que comes y la actividad física.

Para seguir creciendo sano y fuerte, yo me guío por la pirámide de la nutrición. ¿Y tú?

1. ¿Quién escribió el texto que leíste?

   a. Un niño que no tiene dientes.

   b. Un niño de once años.

   c. Un escritor que come muchos cereales.

2. ¿Es necesario comer mucho para comer bien?

   a. No, lo necesario es saber si los alimentos son nutritivos.

   b. Sí, porque si no comemos mucho, tenemos hambre todo el tiempo.

   c. No porque si comemos mucho, dormimos todo el tiempo.

3. Según la pirámide de la nutrición, ¿de qué grupo de alimentos debemos comer más?

   a. Del grupo de pastas y cereales.

   b. Del grupo de grasas y azúcares.

   c. Del grupo de frutas y verduras.

4. ¿Qué dibujo representa un alimento que debemos comer muy poco?

   a.    b.    c.

5. Una palabra que significa lo opuesto de *sano* es…

   a. cuidadoso.

   b. musculoso.

   c. enfermo.

6. ¿Recuerdas cómo eras cuando bebé?

- Ve al supermercado con un familiar. Lleva papel y lápiz. Lee los datos de nutrición de tres alimentos empacados y escoge el que te parece más nutritivo. Escribe el nombre del alimento y copia los datos de nutrición. Trae la información a la clase para compartir con tus compañeros.

Escribir un texto persuasivo

1. Roberto escribió una carta al alcalde de su comunidad para proponer una nueva ley. Lee su carta.

7 de septiembre

Estimado Sr. Alcalde:

¿No cree usted que sería bueno saber si las comidas que sirven en los restaurantes son nutritivas? Tengo una idea de cómo hacer esto una realidad. Yo creo que usted como alcalde puede proponer una ley como la siguiente:

Los menús deben indicar el valor nutritivo de los platos que sirven los restaurantes y las cafeterías de nuestra comunidad.

Esta ley sería buena para los jóvenes y los adultos que quieren escoger una comida nutritiva cuando van a un restaurante. Si los alimentos que compramos en el supermercado traen datos de nutrición, ¿por qué las comidas de los restaurantes no?

Mis compañeros y yo vamos a restaurantes de comida rápida muchas veces. Ahora no sabemos si una hamburguesa es más nutritiva que una pizza, o al revés. Si existiera la ley, sería posible saberlo.

Atentamente,

Roberto Salazar

2. Cuando escribimos un texto persuasivo, queremos que el lector apoye nuestras opiniones e ideas. El texto debe contener razones que puedan convencer al lector.

a. ¿Te gustaría proponer una idea para mejorar algún servicio en tu escuela; por ejemplo, que la comida en la cafetería fuera más nutritiva?
b. ¿Escribirías una carta al director o directora para exponer tu idea?
c. ¿Qué razones podrías dar para convencer al lector de tu idea?

3. Escribe una carta persuasiva. Sigue estos pasos:

Primer paso: El plan

Piensa en algo que se puede mejorar en tu escuela o tu comunidad. Anota en una hoja de papel todas las ideas que se te ocurran. Luego escoge la idea que te parezca mejor para exponerla en una carta a una persona importante. Después piensa en las razones por las cuales tu idea es buena. Piensa en el efecto que va a tener tu idea.

Organiza tus notas en un cuadro como el siguiente:

Idea: ....
Cómo se puede hacer realidad: ....
Razones por las que la idea es buena: 1 .... 2 .... 3 ....

Segundo paso: El borrador

Confirma que has apuntado una idea que tiene sentido y es buena. Si necesitas cambiar o añadir razones, hazlo. Luego usa tus notas para hacer un borrador de tu carta. Comienza con una oración o pregunta que capte la atención del lector. Luego describe tu idea y explica cómo se puede hacer realidad. Después anota los efectos positivos de tu idea en párrafos separados. Recuerda que el texto debe ser corto y persuasivo.

Tercer paso: La revisión

Revisa tu borrador. Léelo en voz baja y presta atención a las ideas que has escrito. Haz los cambios que creas necesarios. Luego intercambia tu escrito con un compañero o compañera y pregúntale qué sugerencias tiene sobre tu trabajo. Revisen cada uno el trabajo del otro. Presten atención a aspectos como los siguientes:

- ¿Está presentado el tema de manera que interesa al lector?
- ¿Están las ideas presentadas en un orden lógico?
- ¿Usas demasiado la palabra *y* en tus oraciones? ¿Separaste las oraciones con puntos?
- ¿Hay en cada párrafo una idea principal y el primer renglón empieza más adentro?
- ¿Están bien los tiempos verbales y la concordancia de género (masculino o femenino) y número (singular o plural)?
- ¿Está correcta la ortografía, el uso de letras mayúsculas y la puntuación?

Cuarto paso: La presentación

Haz los cambios necesarios y pasa en limpio tu carta. No olvides la fecha, el saludo y la despedida. Comparte y presenta tu trabajo según te lo indique tu maestro o maestra.

Los mayas

En esta unidad vas a:

- leer un diálogo sobre una visita a Chichén Itzá.

- conocer algunas palabras y símbolos mayas.

- aprender a reconocer más cognados.

- aprender qué es el *complemento directo* y cómo usar los pronombres de complemento directo.

- leer acerca de la civilización maya.

- escribir acerca de una experiencia personal.

Turistas en Chichén Itzá

siglos períodos de cien años

floreció prosperó

astros cuerpos celestes, como estrellas y planetas

EL GUÍA: Cuando los españoles llegaron aquí, este lugar estaba en ruinas. Así estuvo durante varios siglos. Pero ahora, miren cómo ha cambiado. Todo está restaurado. Los arqueólogos han estudiado los símbolos y las inscripciones mayas que ven.

LA TURISTA: Hable de los mayas, por favor.

EL GUÍA: ¡Ah, los mayas! ¡Qué gente tan maravillosa! Fueron un pueblo que se desarrolló en el sur de México y el norte de Centroamérica. Su historia es muy larga. La civilización maya floreció hace aproximadamente 1,300 años. Fue una civilización muy avanzada. Vean ustedes este edificio.

EL TURISTA: Es El Caracol, lo reconozco.

EL GUÍA: Sí, este edificio circular es El Caracol. Era un observatorio para estudiar los astros. Los mayas fueron grandes astrónomos. El tiempo y los planetas fascinaron a los mayas. Calcularon que el año solar era de 365 días, el mismo número de días que tiene para nosotros.

OTRA TURISTA: Yo leí que el año maya era de 260 días.

EL GUÍA: Sí es cierto. Los mayas tenían dos calendarios, el *tzolkin*, o calendario sagrado, y el *haab*, o calendario civil. En el calendario sagrado el año es de 260 días y en el calendario civil es de 365.

OTRO TURISTA: ¿Dónde está El Castillo?

EL GUÍA: El Castillo es una pirámide que veremos después. Sigamos caminando.

Pirámide de Kukulkán

Conversemos

¿Qué materia te gusta más?

La que más me gusta es

ciencias.
inglés.
estudios sociales.
matemáticas.
…

¿Con quién haces las tareas?

Las hago sola.
Las hago solo.
Las hago con mis amigos.
Las hago con un compañero.
…

¿Qué te gustaría ser?

Me gustaría ser

arqueólogo.
diplomático.
astrónomo.
…

arqueóloga.
diplomática.
astrónoma.
…

75

Símbolos y figuras mayas

La escritura

Los mayas usaban jeroglíficos. Los jeroglíficos son dibujos que representan seres, objetos y conceptos. Por ejemplo, estos jeroglíficos representan los puntos cardinales:

| norte | sur | este | oeste |

Los números

Los mayas usaban el punto ●, la raya ▬▬ y la concha 👁 para escribir los números.

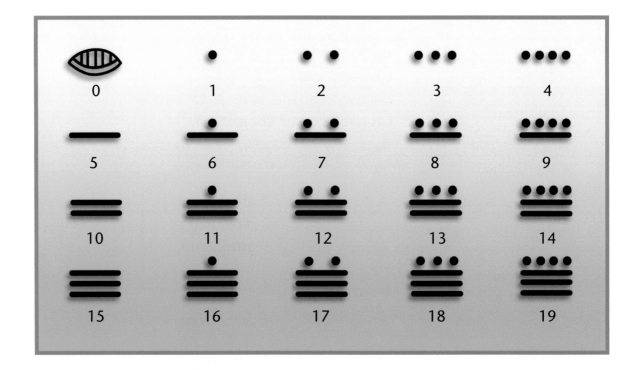

El sistema de numeración maya era vigesimal. Esto quiere decir que los mayas contaban de veinte en veinte. Nuestro sistema es decimal. Contamos de diez en diez.

Estudio de cognados

- Lee y observa.

¿A qué se dedica este señor? ¿Cuál es su profesión?

Algunas palabras que se refieren a un campo de estudio y a la profesión de las personas son cognados:

Campos	Personas
la arqueología	el arqueólogo, la arqueóloga
la astronomía	el astrónomo, la astrónoma
la arquitectura	el arquitecto, la arquitecta
la diplomacia	el diplomático, la diplomática

APRENDE

Muchas palabras que terminan en –ia o –ía en español, son cognados de palabras que en inglés terminan en –y.

Ejemplos:

arqueología	*archaeology*	tecnología	*technology*
astronomía	*astronomy*	diplomacia	*diplomacy*
geografía	*geography*	democracia	*democracy*

Otras palabras que terminan en –ción por lo general son cognados de palabras que en inglés terminan en –tion. Llevan acento ortográfico sobre la letra o.

Ejemplos:

civilización	*civilization*	expedición	*expedition*
conversación	*conversation*	exploración	*exploration*
celebración	*celebration*	nación	*nation*
educación	*education*	tradición	*tradition*

El complemento directo

- Lee y contesta.

Sergio compra **unas tarjetas postales**.

Amy y Lina miran **la televisión**.

Ellas ven **un documental sobre los mayas**.

¿Qué compra Sergio?

¿Qué miran Amy y su amiga?

¿Qué ven ellas en la televisión?

APRENDE

Recuerda que los verbos indican acción. Las palabras que acompañan al verbo para dar detalles de la acción son complementos del verbo. Hay diferentes tipos de complementos. Uno de ellos es el *complemento directo*. Este complemento indica qué o quién recibe la acción del verbo. En los ejemplos anteriores, las frases *unas tarjetas postales*, *la televisión* y *un documental de los mayas* son complementos directos.

El complemento directo se puede reconocer con la pregunta *¿qué* + **verbo**?

Ejemplos: Los estudiantes **pintaron un mural**.
Pregunta: ¿Qué pintaron? Complemento directo: Un mural.

Gloria perdió **su mochila**.
Pregunta: ¿Qué perdió? Complemento directo: Su mochila.

El guía muestra **las inscripciones**.
Pregunta: ¿Qué muestra? Complemento directo: Las inscripciones.

RETO   ¿Cuál es el complemento directo en esta oración: *Escribo una carta a mi abuelita*?

La persona como complemento directo

- Lee y contesta.

¿**A quién** acompaña la guía?

La guía acompaña **a los turistas**.

Juan vio **a María** en la gira.

¿**A quién** vio Juan?

APRENDE

Cuando el complemento directo se refiere a una persona, se usa la llamada *a personal* para introducir el complemento directo. En el caso de personas, este complemento se puede reconocer con la pregunta *¿a quién* + **verbo**?

Ejemplos: La directora presentó **a los estudiantes de intercambio**.
Pregunta: ¿A quién presentó? Complemento directo: A los estudiantes de intercambio.

Durante el fin de semana, Gloria visitó **a su abuela** en McAllen.
Pregunta: ¿A quién visitó Gloria? Complemento directo: A su abuela.

RETO

Contesta esta pregunta con una oración completa. *¿A quién llamas regularmente por teléfono?* ¿Cuál es el complemento directo en tu oración?

Pronombres de complemento directo

- Lee y contesta.

Luis aprendió un **juego nuevo**.
Lo aprendió ayer.

¿Cuándo aprendió Luis el juego?

Brenda miró **mis fotos** de la gira.
Las miró en la computadora.

¿Qué miró Brenda en la computadora?

APRENDE

En la tercera persona, el complemento directo se sustituye con uno de los pronombres siguientes:

	Masculino	Femenino
Singular	lo	la
Plural	los	las

Estos pronombres deben estar en el mismo género y número que el sustantivo al que se refieren. Generalmente se colocan antes del verbo.

Ejemplos: Ayudo a **mi mamá**.   **La** ayudo todas las tardes.
Espero sacar mejores **notas**.   **Las** necesito.
¿Entendiste **la lección**?   **La** entendí perfectamente.
Llamé a **Tim**.   **Lo** invité a ir al cine.
Vi a **mis tíos**.   **Los** visité ayer.
¿Necesitas **el libro**?   Sí, **lo** necesito para hacer la tarea.

RETO

Contesta esta pregunta con una oración completa. *¿A qué hora haces tus tareas?* ¿Cuál es el pronombre que sustituye al complemento directo en tu oración?

John Lloyd Stephens y los mayas

Durante siglos y siglos, las ruinas de la gran cultura maya estuvieron perdidas en la selva. Pero las cosas cambiaron en 1839, cuando el estadounidense John Lloyd Stephens visitó Centroamérica y el sur de México.

Stephens era diplomático y escritor de libros de viajes. En 1839 llegó a Centroamérica en una misión especial del presidente de Estados Unidos, Martin Van Buren.

Stephens aprovechó la oportunidad de estar en Centroamérica para explorar la región. Tenía más interés en descubrir ciudades perdidas que en servir como diplomático. Además, como escribía libros de viajes, ahora viajaba con la idea de escribir otro.

Stephens iba acompañado de un ilustrador llamado Frederick Catherwood. Catherwood era inglés y había estudiado arquitectura. A Catherwood le gustaba viajar y dibujar vistas de lugares antiguos.

Juntos trabajaron en un nuevo libro, *Incidents of Travel in Central America, Chiapas and Yucatan*. Mientras Stephens escribía acerca de los sitios que visitaban, Catherwood los dibujaba. Al volver a Estados Unidos publicaron su libro y tuvo mucho éxito. Así comenzó el interés por estudiar la cultura maya. Desde entonces, los arqueólogos no han parado de excavar y hacer nuevos descubrimientos.

Los sitios que Stephens y Catherwood visitaron hace más de 160 años, los visitan hoy miles de turistas de todas partes del mundo. Stephens y Catherwood abrieron el camino para llegar a Copán, Palenque, Chichén Itzá y otros sitios mayas.

aprovechó usó para beneficio personal

ilustrador persona que hace dibujos para un libro

había estudiado hizo estudios de…

antiguos del tiempo pasado

Palacio del gobernador de Uxmal; pintura de Frederick Catherwood sobre los viajes de John Lloyd Stephens.

Ahora sabemos que los mayas fueron un pueblo de admirables arquitectos, ingenieros, astrónomos y matemáticos. Fueron muy hábiles porque aprendieron el concepto del cero. Con el cero, pudieron escribir grandes cifras y hacer cálculos complicados. Crearon un calendario exacto, basado en el movimiento de los astros, sin conocer el telescopio.

En Tikal, Guatemala, el Templo I es una pirámide tan alta como un edificio de diez pisos. ¿Cómo pudieron construir grandes pirámides y otros edificios sin conocer la rueda ni los metales? Y luego, después de tanto progreso, ¿por qué esta gran civilización abandonó sus grandes ciudades alrededor del año 1000? Tal vez las causas fueron una sequía o una guerra. Los arqueólogos siguen investigando este misterio.

hábiles capaces de hacer bien las cosas

cifras signos que representan un número

sequía situación que ocurre cuando no llueve por mucho tiempo y todo está seco

guerra lucha armada entre dos o más bandos o naciones

Contesta

1. ¿De qué trata el texto que leíste?
   Trata de...
   a. cómo empezó el interés por la cultura maya.
   b. la vida del escritor John Lloyd Stephens.
   c. la vida de un arqueólogo.

2. ¿Qué le gustaba a Stephens?
   a. Representar a Estados Unidos.
   b. Estudiar arquitectura.
   c. Descubrir restos de ciudades antiguas.

3. ¿Cuál de estas oraciones es verdadera?
   a. Frederick Catherwood era diplomático.
   b. Los mayas fueron excelentes matemáticos.
   c. Los astrónomos mayas aprendieron a usar el telescopio.

4. ¿Cuál de los siguientes mapas muestra el área donde floreció la civilización maya?

   a.    b.    c.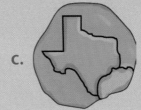

5. ¿Cuál es un misterio que investigan los arqueólogos?
   a. Quién fue John Lloyd Stephens.
   b. Cómo hizo sus ilustraciones Frederick Catherwood.
   c. Por qué los mayas abandonaron sus grandes ciudades.

6. ¿Te gustaría ser arqueólogo o arqueóloga? Explica tu respuesta.

ACTIVIDAD

- Reúnete en grupo con tus compañeros para hacer un trabajo de investigación sobre uno de los sitios arqueológicos mencionados en el texto: Copán, Chichén Itzá, Palenque o Tikal. Con tu grupo, presenta un pequeño informe a la clase.

Escribir acerca de una experiencia personal

1. Lee el relato que escribió Byron sobre su viaje a Tikal.

EXCURSIÓN A TIKAL

El vuelo salió a las 7:30 de la mañana y a las 9:30 estábamos entrando al Parque Nacional de Tikal. Para llegar tomamos un avión en el aeropuerto de la ciudad de Guatemala. Aterrizamos en Santa Elena, Petén, después de 45 minutos de vuelo. Allí nos esperaba un autobús que nos llevó hasta el parque.

Tikal es un lugar impresionante. Es un sitio arqueológico maya en medio de la selva. Las pirámides son altísimas, creo que son las más altas del mundo. Subimos hasta la cima del Templo II, llamado Templo de las Máscaras. Me sentí como un sacerdote maya porque, en el tiempo de los mayas, sólo los sacerdotes podían subir estas pirámides para celebrar ceremonias importantes.

Como Tikal está en plena selva y el parque es una reserva, también se ven muchos animales. A mí me llamó la atención uno que llaman "pizote". Yo pensé que podía mordernos, pero el guía nos dijo que era manso. El pizote se parece a la ardilla, pero es tres veces más grande.

Por la tarde, volvimos a tomar el avión para regresar a la ciudad. Fue un viaje de sólo un día, pero me sentí como si estuviera viviendo mil años atrás.

2. Piensa en qué has hecho o qué te ha ocurrido recientemente. Seguramente encontrarás una experiencia interesante, divertida o sorprendente.

    a. ¿Recuerdas algún suceso inesperado?
    b. ¿Recuerdas algún viaje a un lugar interesante?
    c. ¿Qué información necesitas para escribir una narración acerca de una experiencia personal?

3. Escribe una narración personal. Sigue estos pasos:

Primer paso: El plan

Haz una lista de tus experiencias recientes y también de las que recuerdas por ser especiales. Luego escoge la experiencia que creas que va a ser interesante para el lector. Después anota tus recuerdos.

Organiza tus notas en un cuadro como el siguiente:

Experiencia que voy a narrar:...		
¿Cuándo ocurrió?	¿Dónde ocurrió y cómo es ese lugar?	¿Qué hice o qué ocurrió? ....

Segundo paso: El borrador

Confirma que has apuntado todos tus recuerdos. Si necesitas añadir algo, hazlo. Luego usa tus notas para hacer un borrador. Organiza tu escrito según la secuencia en que ocurrió tu experiencia. Por ejemplo, si describes un viaje o una excursión empieza tu narración describiendo la salida. Termina describiendo el regreso. No olvides que debes escribir en primera persona porque estás narrando algo que te sucedió o que hiciste tú.

Tercer paso: La revisión

Revisa tu borrador. Léelo en voz baja y presta atención a las ideas que has escrito. Haz los cambios que creas necesarios. Luego intercambia tu escrito con un compañero o compañera y pregúntale qué sugerencias tiene sobre tu trabajo. Revisen cada uno el trabajo del otro. Presten atención a aspectos como los siguientes:

- ¿Está presentado el tema de manera que interesa al lector?
- ¿Están las ideas presentadas en un orden lógico?
- ¿Usas demasiado la palabra *y* en tus oraciones? ¿Separaste las oraciones con puntos?
- ¿Hay en cada párrafo una idea principal y el primer renglón empieza más adentro?
- ¿Están bien los tiempos verbales y la concordancia de género (masculino o femenino) y número (singular o plural)?
- ¿Está correcta la ortografía, el uso de letras mayúsculas y la puntuación?

Cuarto paso: La presentación

Haz los cambios necesarios y pasa en limpio tu narración. No olvides el título. Comparte y presenta tu trabajo según te lo indique tu maestro o maestra.

El reino animal

En esta unidad vas a:

- leer una leyenda que explica por qué el búho es un animal nocturno.

- aumentar tu vocabulario con palabras para clasificar a los animales.

- aprender el concepto de *complemento indirecto* y los pronombres que lo sustituyen.

- leer acerca del jaguar.

- escribir un texto comparando dos animales.

El plumaje del múcaro

plumaje

múcaro búho, tecolote, lechuza

guaraguao halcón puertorriqueño de ala ancha y cola roja

desnudo que no lleva ropa

traje ropa formal

prestarle dar a otra persona algo que tiene que devolver

devolviera regresara a su dueño o al lugar de donde se tomó

Hace ya mucho tiempo, los animales celebraban bailes y fiestas en donde se divertían mucho.

En una ocasión los pájaros decidieron hacer un gran baile, y le pidieron al guaraguao que fuera de casa en casa para invitar a todos los pájaros.

Cuando el guaraguao llegó a la casa del múcaro, lo encontró desnudo. El múcaro dijo que no podía ir al baile porque no tenía un traje para ponerse. El guaraguao les contó a los demás pájaros lo que le había dicho el múcaro. Y entonces cada pájaro decidió prestarle una pluma suya al múcaro para que, con todas las plumas, se hiciera un traje para el baile.

El guaraguao recogió todas las plumas, que eran de distintos colores, y se las llevó al múcaro con la condición de que, después del baile, devolviera a cada pájaro su pluma. El múcaro se puso muy contento y se hizo un traje muy bonito.

En el baile, el múcaro se sentía muy lindo con su traje de plumas de distintos colores. Pensando que al terminar el baile tendría que devolver las plumas y quedarse desnudo otra vez, decidió no perder su traje. Así que se fue de la fiesta cuando nadie lo estaba mirando, y se escondió en el bosque.

Los otros pájaros todavía lo andan buscando para que les devuelva sus plumas. Es por eso que el múcaro no sale de día, sino de noche, cuando los demás pájaros están durmiendo.

Ricardo E. Alegría
Leyenda tomada de la tradición popular.

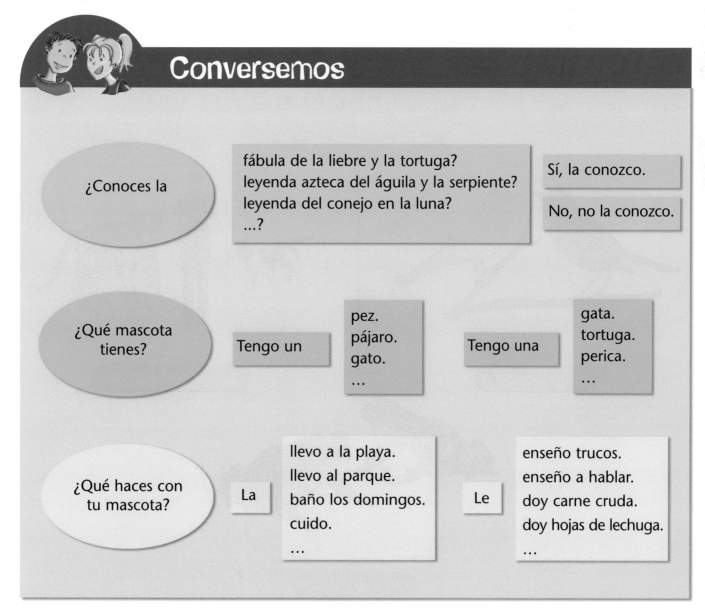

Conversemos

¿Conoces la

fábula de la liebre y la tortuga?
leyenda azteca del águila y la serpiente?
leyenda del conejo en la luna?
...?

Sí, la conozco.

No, no la conozco.

¿Qué mascota tienes?

Tengo un

pez.
pájaro.
gato.
...

Tengo una

gata.
tortuga.
perica.
...

¿Qué haces con tu mascota?

La

llevo a la playa.
llevo al parque.
baño los domingos.
cuido.
...

Le

enseño trucos.
enseño a hablar.
doy carne cruda.
doy hojas de lechuga.
...

La clasificación de los animales

Los animales se dividen en dos grandes grupos.

los peces

los reptiles

ANIMALES VERTEBRADOS

las aves

los mamíferos

los anfibios

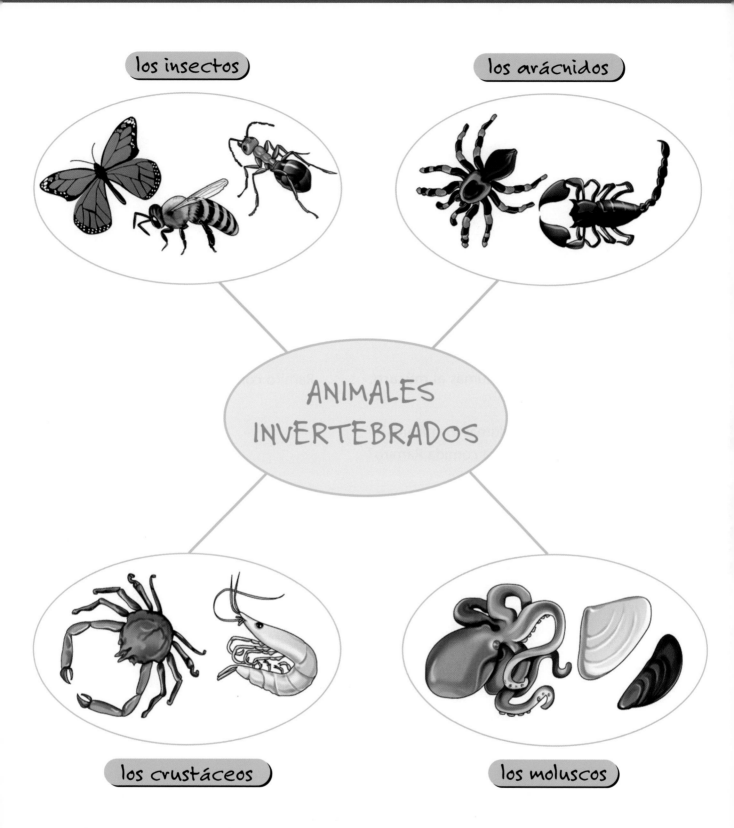

los insectos

los arácnidos

ANIMALES INVERTEBRADOS

los crustáceos

los moluscos

¿En qué se parecen y en qué se diferencian?

√ Los vertebrados tienen columna vertebral y los invertebrados no.

√ En general, los vertebrados son más grandes que los invertebrados.

√ Hay más animales invertebrados que vertebrados.

89

El complemento indirecto

- Lee y contesta.

Los pájaros llevan plumas **al múcaro**.

Ramiro compra comida **para sus pájaros**.

¿A quién llevan plumas los pájaros?
¿Para quién compra comida Ramiro?

APRENDE

En la unidad anterior aprendiste qué es el *complemento directo*. Ahora aprenderás acerca de otro complemento.

Cuando la acción que indica el verbo está dirigida a otro ser, el complemento es *indirecto*. En estos casos, quien recibe la acción del verbo no es la misma persona que lleva a cabo la acción. En los ejemplos anteriores las frases *al múcaro* y *para sus pájaros* son complementos indirectos. El complemento indirecto se puede reconocer con las preguntas *¿a quién?* o *¿para quién?*

Compara los complementos en estos ejemplos:

Jorge explicó **la tarea a su amiga Carla**.
Pregunta: ¿Qué explicó Jorge?   Complemento directo: La tarea.
Pregunta: ¿A quién explicó la tarea Jorge?   Complemento indirecto: A su amiga Carla.

La maestra dio **buenas notas a todos**.
Pregunta: ¿Qué dio la maestra?   Complemento directo: Buenas notas.
Pregunta: ¿A quién dio buenas notas la maestra?   Complemento indirecto: A todos.

El papá compró **un regalo para su hija**.
Pregunta: ¿Qué compró el papá?   Complemento directo: Un regalo.
Pregunta: ¿Para quién compró un regalo el papá?   Complemento indirecto: Para su hija.

RETO

Identifica los complementos directos o indirectos en estas oraciones:
Doy mi tarea al maestro. Quiero dar mi opinión a ustedes.

Pronombres de complemento indirecto

- Lee y contesta.

Mirta le hace un pájaro de papel **a su hermanito**.
Mirta **le** hace un pájaro de papel.

Su papá prepara una sopa **para ellos**.
Su papá **les** prepara una sopa.

¿Qué hace Mirta **para su hermanito**?
¿Qué prepara el papá **para sus hijos**?

APRENDE

En la tercera persona, el *complemento indirecto* se sustituye con los pronombres *le* y *les*. *Le* se usa para referirse a un sustantivo masculino o femenino en singular. *Les* se usa para referirse a un sustantivo masculino o femenino en plural.

Le y *les* generalmente se colocan antes del verbo. Es común expresar en la misma oración el complemento indirecto a que se refieren.

Ejemplos:

La mamá **le** da un regalo **a su hijo**.
El niño **le** pregunta **a ella** qué es.

La mamá **le** da un regalo.
El niño **le** pregunta qué es.

El maestro deja tarea **a los estudiantes**.
El maestro **les** deja tarea.

RETO

Identifica el complemento directo, el indirecto y el pronombre del complemento directo en esta oración: *Le voy a regalar un juguete a mi hermanita.*

rey

selva bosque tropical, área húmeda con mucha vegetación

domésticos caseros, que viven con las personas

piel cobertura del cuerpo

manchas marcas

El jaguar, Rey de la selva americana

El jaguar es un animal que pertenece a la misma familia del tigre y el león. Son una familia de mamíferos a la que llamamos *felinos*. Hay felinos que viven en la selva, como el jaguar, y felinos que viven en casa, como los gatos domésticos.

El jaguar se diferencia de otros felinos por su tamaño y su piel. Algunos miden más de seis pies de largo. Tienen una cabeza muy grande. Su piel es entre amarilla y café con puntos y manchas negras, que en ciertas partes del cuerpo parecen flores. También hay jaguares negros y blancos, aunque muy pocos.

El jaguar en el pasado

El jaguar es un felino propio del continente americano. Cuando los españoles llegaron a este continente, lo llamaron tigre por su parecido a este animal. En el pasado había jaguares desde el suroeste de Estados Unidos hasta el norte de Argentina. Los mayas, los aztecas y otros pueblos indígenas adoraban y respetaban al jaguar. Era un símbolo de autoridad. Las personas importantes, como los reyes y los jefes militares, se vestían con pieles de jaguar.

El jaguar hoy

Hoy el jaguar vive en las selvas tropicales y en los pantanos cerca del mar. Lo encontramos en las áreas donde hay mucha vegetación, con árboles altos y frondosos. Le gusta el agua. Se mete al agua para refrescarse cuando hace calor. Es un nadador excelente.

El jaguar es un gran cazador. Atrapa animales que corren en la tierra, que nadan en el agua, y que se suben a los árboles. Caza animales grandes, como el venado, y animales pequeños, como las ratas. Casi siempre es un animal que camina solo y en silencio. Es muy fuerte, inteligente y rápido.

El jaguar, que para muchos es el rey de la selva americana, ahora está en peligro de extinción. En tiempos de los mayas y aztecas había muchos jaguares. Hoy quedan pocos en las selvas de México y Centroamérica, donde hay áreas protegidas para su supervivencia. Aunque es ilegal, hay gente que mata al jaguar para vender su piel. Pero la razón principal de su desaparición es que cada día hay menos selvas. Sin selvas, el jaguar no tiene dónde vivir.

pantanos áreas con agua que no se mueve

frondosos con muchas hojas y ramas

cazador animal o persona que mata animales para comer o vender sus partes

venado

solo sin compañía

peligro de extinción amenaza de desaparecer

supervivencia poder seguir viviendo

1. ¿Cuál es el propósito del texto que leíste?

   a. Divertir.

   b. Informar.

   c. Dar instrucciones.

2. El jaguar es un…

   a. felino americano.

   b. felino casero.

   c. felino pequeño.

3. ¿Cuál de estas ilustraciones muestra a un animal cazando?

   a.
   b.
   c.

4. ¿Cuál de estas oraciones está correcta?

   a. El jaguar y el tigre son el mismo animal.

   b. En tiempos pasados había más jaguares que ahora.

   c. El jaguar camina con los venados y otros animales.

5. ¿Qué palabra significa lo contrario de *pocos*?

   a. *muchos*

   b. *menos*

   c. *quedan*

6. ¿Crees que es importante crear áreas para proteger a los animales? ¿Por qué?

ACTIVIDAD

- Dibuja un *felino*. Luego, rotula tu dibujo con el nombre del felino y escribe una oración que exprese una característica suya que es especial. Otros felinos conocidos son el león, el tigre, la pantera, el guepardo y el gato doméstico.

Escribir un texto comparativo

1. Lee la comparación entre un salmón y una ballena que escribió Tere.

EL SALMÓN Y LA BALLENA

No todos los animales que viven en el mar y tienen forma de pez, son peces. Por ejemplo, ¿en qué se parecen y en qué se diferencian el salmón y la ballena?

Tanto el salmón como la ballena tienen esqueleto interno. ¿Alguna vez han visto un hueso de ballena? Sus huesos son cientos de veces más grandes que los huesos de salmón. Estos dos animales tienen aletas para nadar y así es como van de un lugar a otro. Los dos viven en el agua.

El salmón y la ballena se diferencian en tamaño, por supuesto. Una ballena gris adulta, por ejemplo, mide unos 45 pies de largo. Un salmón, sólo mide 3 pies. La piel del salmón está cubierta de escamas, como todos los peces. La piel de la ballena es lisa y no tiene escamas. Pero la diferencia más importante es que el salmón es un pez y la ballena es un mamífero marino.

Como la ballena es un mamífero, se parece a nosotros, porque los seres humanos también somos mamíferos.

2. Cuando escribimos un texto comparativo, debemos presentar las características similares y diferentes de los seres u objetos que se comparan.

   a. ¿Qué animales te gustaría comparar?
   b. ¿Dónde podrías encontrar información sobre estos animales?
   c. ¿Cómo usarías la estrategia de comparar y diferenciar?

3. Compara dos animales. Sigue estos pasos:

Primer paso: El plan
Anota en una hoja de papel todos los animales que se te ocurran. Elige dos que sean de distinto tipo para hacer más interesante la comparación. Por ejemplo, compara un ave y un mamífero. Luego busca la información necesaria sobre cada animal en libros de consulta o la Internet.

Organiza la información en un diagrama de Venn. Designa un óvalo para cada animal y anota sus características. Luego compara la información y anota las características similares en el área que comparten los dos óvalos.

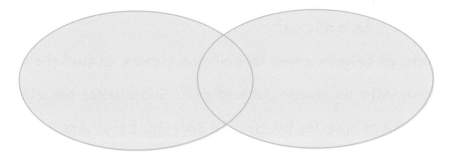

Segundo paso: El borrador
Confirma que tu información sobre cada animal es correcta. Si necesitas añadir o cambiar algo, hazlo. Luego usa tus notas para hacer un borrador de tu comparación. Comienza con un párrafo que expresa qué animales vas a comparar. Trata de interesar al lector con tus palabras. Luego describe los parecidos en un párrafo y las diferencias en otro, como en el ejemplo. Al final, escribe una conclusión.

Tercer paso: La revisión
Revisa tu borrador. Léelo en voz baja y presta atención a las ideas que has escrito. Haz los cambios que creas necesarios. Luego intercambia tu escrito con un compañero o compañera y pregúntale qué sugerencias tiene sobre tu trabajo. Revisen cada uno el trabajo del otro. Presten atención a aspectos como los siguientes:

- ¿Está presentado el tema de manera que interesa al lector?
- ¿Están las ideas presentadas en un orden lógico?
- ¿Usas demasiado la palabra *y* en tus oraciones? ¿Separaste las oraciones con puntos?
- ¿Hay en cada párrafo una idea principal y el primer renglón empieza más adentro?
- ¿Están bien los tiempos verbales y la concordancia de género (masculino o femenino) y número (singular o plural)?
- ¿Está correcta la ortografía, el uso de letras mayúsculas y la puntuación?

Cuarto paso: La presentación
Haz los cambios necesarios y pasa en limpio tu escrito. No olvides el título. Si quieres puedes añadir dibujos o fotografías de tus animales. Comparte y presenta tu trabajo según te lo indique tu maestro o maestra.

La salud

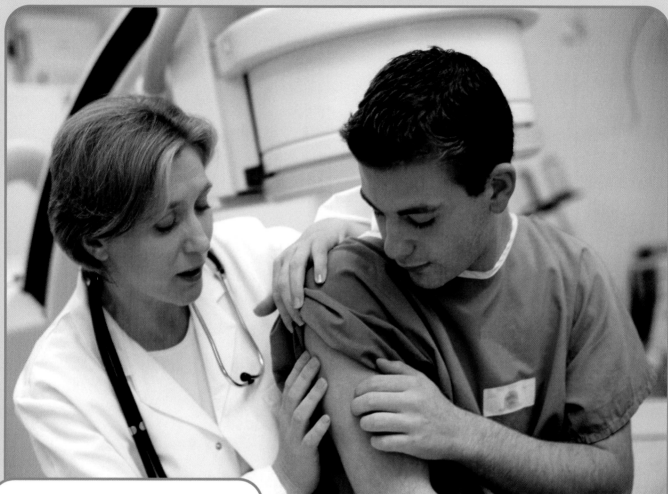

En esta unidad vas a:

- leer un poema acerca de un niño resfriado.

- aumentar tu vocabulario para hablar de la salud.

- relacionar la letra *r* a sus sonidos cuando se escribe sola (*r*) o doble (*rr*).

- aprender el uso de otros pronombres como complementos directo e indirecto.

- leer y representar un texto dramático sobre un niño que le tiene miedo a las vacunas.

- escribir acerca de científicos famosos.

El primer resfriado

resfriado catarro

cabello pelo

hormiga

mantas

Me duelen los ojos,
me duele el cabello,
me duele la punta
tonta de los dedos.

Y aquí en la garganta
una hormiga corre
con cien patas largas.
¡Ay, mi resfriado!

Chaquetas, bufandas,
leche calentita,
y doce pañuelos
y catorce mantas
y estarse muy quieto
junto a la ventana.

Me duelen los ojos,
me duele la espalda,
me duele el cabello,
me duele la tonta
punta de los dedos.

Celia Viñas Olivella

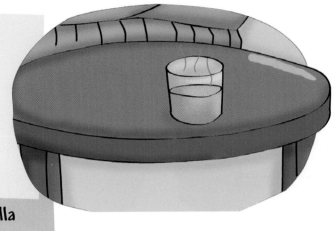

Conversemos

¿Cómo te sientes hoy?

Me siento

bien.

mal.

¿Qué te duele cuando tienes gripe?

Me duele

la garganta.
la cabeza.
el cuerpo.

Me duelen

los ojos.
los huesos.
los pies.

¿Cuándo has ido al doctor?

Cuando

tuve un accidente.
estuve enfermo.
tuve que vacunarme.
…

¿Qué es bueno para la salud?

Hacer ejercicio.
Dormir suficientes horas.
No comer comidas grasosas.
No fumar.
…

Estar enfermo

sentirse mal

estornudar

el catarro, el resfriado

tener fiebre

la gripe

toser

la tos

La doctora examina al paciente.

Le duele la garganta.

Le duele el estómago.

la medicina

la receta

la vacuna

La letras *r* y *rr*

- Lee en voz alta.

Bartolo, el mono,
subido en la rama
toca la guitarra,
canta como loro.

Se rompe la rama,
se cae Bartolo.

Con la mano rota
y la cara hinchada,
el pobre Bartolo
no canta ni toca.

APRENDE

Recuerda que la letra *r* representa dos sonidos, uno suave /r/ y otro fuerte /rr/.

- En general, una sola *r* representa el sonido suave /r/ y una *rr* representa el sonido fuerte /rr/.

  Ejemplos:

/r/	**/rr/**
Arturo, cara, loro, herida, doctora	guitarra, catarro, carro, carruaje, arriba

- En los siguientes casos, la *r* no representa el sonido suave, sino el sonido fuerte: Cuando aparece al comienzo de una palabra.

  Ejemplos: Rolando, radio, rosa, receta, resfriado

  Cuando aparece después de las consonantes *l, n, s, b.*

  Ejemplos: Enrique, alrededor, Israel, subrayar

- Al final de una palabra, el sonido de la *r* siempre es suave.

  Ejemplos: dolor, cantar, dormir, comer

Los pronombres *me, te* y *nos*

- Lee y contesta.

—Hija, **te** llama Juan. Ven.

—Mamá, aquí estoy. ¿No **me** ves?

¿Qué dice la mamá?

¿Qué pregunta la hija?

APRENDE

Me, te y *nos* son pronombres que se refieren a un complemento directo o indirecto, y se colocan antes del verbo.

En inglés, los pronombres que se refieren a un complemento directo o indirecto son *me, you* (familiar) y *us.* Los complementos indirectos también se pueden expresar con las frases *to me, for me, to you, for you, to us, for us.*

Ejemplos:

Como complemento directo:

El doctor **me** examina.	*The doctor examines me.*
Tu papá **te** llama.	*Your father calls you.*

Como complemento indirecto:

Mi mamá **me** compra un regalo.	*My mother buys me a present.* *My mother buys a present for me.*
Mi abuelo **nos** habló de su operación.	*My grandfather talked to us about his operation.*
¿**Te** dio la receta el doctor?	*Did the doctor give you the prescription?* *Did the doctor give the prescription to you?*

RETO

Escribe las respuestas a estas preguntas. Subraya los complementos directos, indirectos y pronombres en cada oración: *¿Quién te cuida cuando estás enfermo? ¿Qué medicinas te dan?*

El verbo *gustar* y otros parecidos

- Lee y contesta.

Me gusta hacer ejercicio.

No **me gusta** esta medicina.

¿Qué le gusta a la muchacha?

¿Qué no le gusta al muchacho?

APRENDE

Se usa el verbo *gustar* de una manera parecida a la que usas el verbo *to like* en inglés. *Gustar* también significa *to please* o *to be pleasing* en inglés. Fíjate que el verbo *gustar* se usa con los pronombres de complemento indirecto:

(a mí)	**me** gusta, –an	(a nosotros, –as)	**nos** gusta, –an
(a ti)	**te** gusta, –an		
(a él, a ella)	**le** gusta, –an	(a ellos, a ellas)	**les** gusta, –an
(a usted)	**le** gusta, –an	(a ustedes)	**les** gusta, –an

Con el verbo *gustar* se usan solamente las formas de la tercera persona singular y plural, *gusta* y *gustan*. Se usa *gusta* cuando lo que *gusta* está en singular y *gustan* cuando está en plural.

Ejemplos:

Me gusta la comida mexicana.   **Nos gusta** esta clase.
Me gustan todos los animales.   No **nos gustan** tus ideas.

Éstos son otros verbos que se usan como *gustar*:

doler	me duele, –en	aburrir	me aburre, –en
interesar	me interesa, –an	importar	me importa, –an

Ejemplos:

Me duelen los dedos.   **Nos importan** tus opiniones.
Me interesa el futuro.   **Me aburre** el pasado.

RETO

Haz una lista de las cosas que te interesan, usando la forma singular. Haz otra de las que te aburren, usando la forma plural.

¿No te interesa ser un niño sano?

Ésta es una obra para representar con títeres. *Actúan Tito, Pili y muchos microbios con caras terribles. Tito es un niño pequeño. Pili es su hermana mayor.*

títeres muñecos que una persona mueve para representar personajes en una obra teatral

TITO: ¡Ya dije que no! Y cuando yo digo no, es no.

PILI: Muy bien, hemanito, pero no sé de qué estás hablando. Ahora explícame qué es lo que no quieres.

TITO: Mamá quiere llevarme al médico. Dice que necesito vacunas. ¿Sabes lo terrible que es eso?

PILI: Sí, tienes razón. Es terrible.

TITO: La última vez que fui me dolió mucho.

PILI: Bueno, está bien. Lo más que te puede pasar, si no te vacunas, es que te visiten los microbios.

TITO: ¿Y quiénes son esos?

PILI: Los virus y las bacterias.

TITO: ¿Y qué hacen?

PILI: Pues te producen enfermedades como el tétano y la poliomielitis.

TITO: ¡Pues que vengan!

MICROBIOS: *Los microbios entran cantando.* Las puertas de madera no pueden detenernos. Ni castillos, ni murallas, ni aun puertas de acero. ¡Sí, somos los microbios, terror de todo el mundo!

TITO: ¡Qué feos son, Pili!

PILI: Es cierto, pero es más feo lo que hacen.

MICROBIO 1: ¡Qué veo! ¡Niños sanos! Eso no puede ser. No lo permito.

MICROBIO 2: Yo tampoco. ¡Vamos a enfermarlos!

médico doctor

detenernos pararnos

murallas

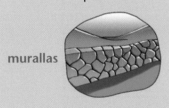

sanos con buena salud

PILI: A mí no me pueden hacer nada.

TODOS LOS MICROBIOS: Ah, ¿no?

PILI: Estoy vacunada.

MICROBIO 1: ¡Nooo! No queremos oír esa palabra. No la digas.

PILI: ¿Cuál?

MICROBIO 1: Esa… va-cu-na-da.

MICROBIO 2: ¿Y este otro niño? ¿También está… está…? Ustedes me entienden.

PILI: ¿Vacunado?

TITO: Y si no, ¿qué pasaría?

MICROBIO 2: Te podemos llenar el cuerpo de ronchas rojas.

MICROBIO 3: Podemos hacer que te dé fiebre.

TODOS LOS MICROBIOS: Y tos y dolores de cuerpo…

MICROBIO 1: Y hasta podemos hacer que no camines más.

TITO: Pili, esto no me gusta nada.

PILI: Pues, ya ves. El médico no puede hacerte daño.

TITO: Sí, vamos. *Salen Tito y Pili.*

MICROBIO 2: Se escapó. ¿Qué hacemos ahora?

Microbio 3: Buscar otros niños.

MICROBIOS: *Los microbios salen cantando.*
Las puertas de madera no pueden detenernos.
Ni castillos, ni murallas, ni aun puertas de acero.
¡Sí, somos los microbios, terror de todo el mundo!

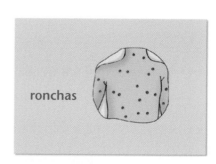

ronchas

1. ¿Por qué no quiere ir al médico Tito?

   a. Porque los microbios son feos.

   b. Porque tiene catarro.

   c. Porque las vacunas pueden doler.

2. ¿Por qué los microbios no pueden hacerle nada a Pili?

   a. Los microbios sólo atacan a los niños.

   b. Ella está vacunada.

   c. Ella no tiene fiebre.

3. ¿Qué pueden causar los microbios?

   a. Fiebre y dolores de cuerpo.

   b. Tétano y poliomielitis.

   c. Todo lo anterior.

4. ¿Qué decide Tito al final?

   a. Escaparse.

   b. Salir a buscar a otros niños.

   c. Ir al médico.

5. ¿Cuál de estas cosas te puede hacer daño?

   a. El agua pura.

   b. Una vacuna.

   c. Un virus.

6. ¿Qué nos enseña esta pequeña obra de teatro?

   a. Que siempre hay problemas entre una hermana y un hermano.

   b. Que los microbios nos hacen sanos.

   c. Que es importante vacunarse.

7. ¿Crees que las vacunas son necesarias? ¿Por qué sí o por qué no?

ACTIVIDAD

- Continúa esta obra con un grupo de compañeros. Hablen de qué podría pasar en la clínica del médico. Luego compartan sus ideas con el resto de la clase.

Escribir acerca de científicos

1. Lee qué escribió Brenda acerca del Dr. Carlos Finlay.

CARLOS FINLAY (1833-1915)

Carlos Finlay fue un gran médico cubano del siglo XIX. De niño, vivió en La Habana. A los 11 años, sus padres lo mandaron a estudiar a Francia. Después estudió en el Jefferson Medical College de Philadelphia. Allí se graduó de médico en 1855.

El Dr. Finlay dedicó gran parte de su vida a investigar la fiebre amarilla. Para nosotros no es una enfermedad común. Es una enfermedad de las regiones tropicales. Todavía ocurre en África y América Latina. La fiebre amarilla es causada por un virus.

El Dr. Finlay descubrió que la fiebre amarilla es transmitida por un mosquito. El mosquito pasa el virus de una persona enferma a una sana. Cuando el Dr. Finlay presentó su teoría en una conferencia internacional de salud, en 1881, nadie le prestó atención. Pasaron 20 años antes de que se comprobara que tenía razón.

Hace cien años, miles de personas morían de fiebre amarilla. Gracias al Dr. Finlay, esta enfermedad se pudo dominar al mantener la población de mosquitos bajo control.

2. La historia del mundo está llena de mujeres y hombres famosos que se han destacado en distintas áreas de las ciencias.

   a. ¿Hay algún científico a quien admiras?
   b. ¿Te gustaría escribir acerca de él o ella?
   c. ¿Qué crees que sería interesante contar sobre esa persona?

3. Escribe acerca de un científico famoso. Sigue estos pasos:

Primer paso: El plan
Piensa en científicos que han trabajado en campos como la física, la astronomía y la medicina. Escoge una persona interesante y busca en la enciclopedia y la Internet respuestas a preguntas que tengas sobre esta persona.

Organiza tus preguntas y notas en un cuadro como el siguiente:

Nombre del científico(a):		
Datos personales: ¿Cuándo vivió? .... ¿Dónde creció y estudió?	Su misión: ¿A qué se dedicó? .... ¿Cómo se hizo famoso(a)?	El resultado: ¿Cuál ha sido el efecto de su trabajo? ....

Segundo paso: El borrador
Confirma que has apuntado suficiente información sobre tu científico(a). Si necesitas añadir algo, hazlo. Luego usa tus notas para escribir un borrador. Comienza con una oración que identifique a tu científico(a) y continúa con sus datos personales. En los párrafos siguientes escribe acerca de su trabajo y de su fama. Termina con un párrafo en el que resumes cómo su trabajo ha mejorado nuestras vidas.

Tercer paso: La revisión
Revisa tu borrador. Léelo en voz baja y presta atención a las ideas que has escrito. Haz los cambios que creas necesarios. Luego intercambia tu escrito con un compañero o compañera y pregúntale qué sugerencias tiene sobre tu trabajo. Revisen cada uno el trabajo del otro. Presten atención a aspectos como los siguientes:

* ¿Está presentado el tema de manera que interesa al lector?
* ¿Están las ideas presentadas en un orden lógico?
* ¿Usas demasiado la palabra *y* en tus oraciones? ¿Separaste las oraciones con puntos?
* ¿Hay en cada párrafo una idea principal y el primer renglón empieza más adentro?
* ¿Están bien los tiempos verbales y la concordancia de género (masculino o femenino) y número (singular o plural)?
* ¿Está correcta la ortografía, el uso de letras mayúsculas y la puntuación?

Cuarto paso: La presentación
Haz los cambios necesarios y pasa en limpio tu escrito. Como título debes poner el nombre del científico o científica, y los años cuando nació y murió, como en el ejemplo.

Las plantas

En esta unidad vas a:

- leer cómo un grupo de estudiantes dramatiza un poema.

- aumentar tu vocabulario para hablar de las plantas.

- relacionar la letra *j* y las sílabas *ge*, *gi* al sonido /j/.

- aprender el negativo de la forma imperativa en singular.

- aprender la posición de los pronombres en la forma imperativa del verbo.

- leer acerca de la vida y el uso de las plantas.

- describir una clase de planta.

El ensayo teatral

Un grupo de estudiantes ensaya la dramatización del poema *El cuento de la semilla* de Manuel F. Juncos. Van a dramatizar este poema en el Día de la Tierra.

HENRY: Bueno, ¿están listos?
SHARON: Yo sí. Miren, aquí tengo mi vestido.

Sharon muestra un gran pedazo de papel crepé verde.

TED: Yo también. Aquí tengo esta brillante luz anaranjada.

Ted muestra una linterna.

NIÑAS: Nosotras estamos listas para danzar alrededor de Sharon y tirar confeti sobre ella.
HENRY: Muy bien. Empecemos…

Sharon se coloca en el centro del escenario y pretende estar dormida.

HENRY: Jorge, empieza. Habla fuerte, por favor.
JORGE: **Oculta en el corazón**
de una semilla,
bajo la tierra una planta
en profunda paz dormía.
—¡Despierta! —dijo el calor.

Sharon hace como que despierta, pero Ted no enciende su linterna. Pasan varios segundos.

JORGE: **—¡Despierta! —dijo el calor.**
HENRY: Ted, ¿dónde estás?
TED: Aquí, pero es que la linterna no enciende.
HENRY: Bueno, no importa. ¡Siguen ustedes, niñas!

---

oculta escondida, que no se ve

semilla parte de la que nace una planta, cuando está bajo tierra

JORGE: —¡Despierta! —dijo la lluvia fría.

Las niñas danzan alrededor de Sharon, levantan unos cubos de confeti y lo dejan caer a puñados. Sharon se pone de rodillas *y toma el papel crepé verde.*

JORGE: **La planta, que oyó el llamado,**
           quiso ver lo que ocurría;
           se puso un vestido verde
           y estiró el cuerpo hacia arriba.

Al escuchar los dos últimos versos, Sharon se cubre con el papel crepé y poco a poco se pone de pie.

JORGE: **De toda planta que nace**
           ésta es la historia sencilla.

Ted y las niñas se acercan a Sharon y todos hacen una reverencia.

de rodillas

reverencia

Conversemos

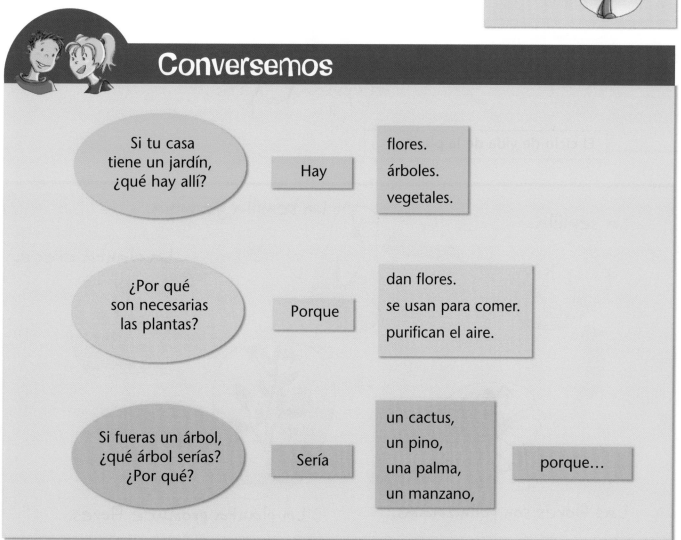

Si tu casa tiene un jardín, ¿qué hay allí?

Hay

flores.
árboles.
vegetales.

¿Por qué son necesarias las plantas?

Porque

dan flores.
se usan para comer.
purifican el aire.

Si fueras un árbol, ¿qué árbol serías? ¿Por qué?

Sería

un cactus,
un pino,
una palma,
un manzano,

porque...

Las plantas

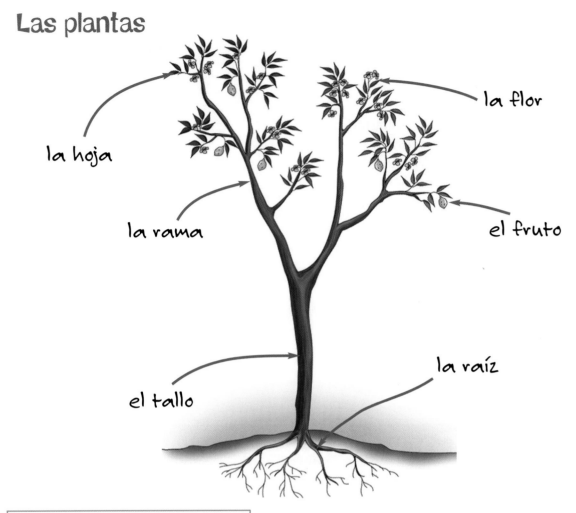

la hoja

la flor

la rama

el fruto

el tallo

la raíz

El ciclo de vida de la planta

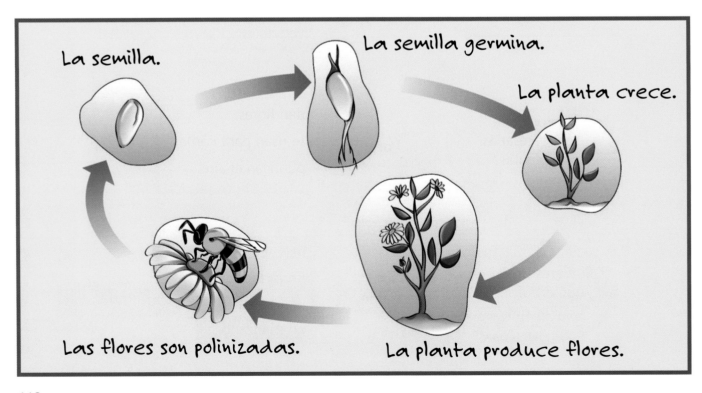

La semilla.

La semilla germina.

La planta crece.

Las flores son polinizadas.

La planta produce flores.

La letra *j* y las sílabas *ge, gi*

- Lee en voz alta.

Jaime, Jimena y Julio,
jóvenes jardineros,
enseñan a Gilberto y Genaro
a plantar girasoles y geranios
y flores de mil colores.

APRENDE

Recuerda que la letra *g* tiene dos sonidos: seguida de las vocales *a*, *o* y *u* es /g/ como en las palabras *gato*, *gota*, y *guste*. Seguida de las vocales *e*, *i* es /j/ como en las palabras *gente* y *gimnasio*.

La letra *j* representa el mismo sonido de la *g* en las palabras *gente* y *gimnasio*.
Ejemplos: Julieta, cangrejo, jirafa, jefe, pareja

Como la *g* y la *j* delante de *e* o *i* tienen el mismo sonido, es difícil saber si una palabra se escribe con *g* o *j* si a estas letras sigue la vocal *e* o la vocal *i*.

- Se escriben con *g* las formas de los verbos que terminan en *–ger* y *–gir* en el infinitivo, como *escoger* y *dirigir*.
  Ejemplos:
  Escoge la respuesta correcta.
  Henry dirigió la obra que presentaron los estudiantes.

- Se escriben con *j* las formas de los verbos que tienen *j* en el infinitivo, como *dejar*, *trabajar*, *dibujar* y *viajar*.
  Ejemplos:
  Primero escriban y después dibujen.
  Viajé con mi mamá durante las vacaciones.

- Se escriben con *j* las formas en pretérito de los verbos *decir*, *traer*, y otros que terminan en *–ducir*, como *traducir*.
  Ejemplos:
  Ellos dijeron que hablaban español muy bien.
  Nosotros trajimos unas flores.
  Ellas tradujeron el poema al inglés.

RETO   Escribe la conjugación del verbo *conducir* en pretérito.

La forma imperativa del verbo: construcciones negativas

- Lee y contesta.

Señor, **no tome** este autobús. Va muy lleno. **Tome** el que me sigue.

¿Qué le dice el chofer al señor?

¿Qué diferencia hay entre la primera oración y la última?

APRENDE

En una unidad anterior, estudiaste que las formas imperativas del verbo se usan para dar instrucciones o pedir algo a una persona. Para hacer negativa la forma imperativa, la palabra *no* se coloca antes del verbo. Si la forma imperativa va dirigida a una persona a quien tratas de *tú*, debes agregar *–s* a la forma *usted*.

Ejemplos:

Formas imperativas afirmativas	Formas imperativas negativas
Señorita, **abra** la ventana.	Señorita, **no abra** la ventana.
Gloria, **abre** la ventana	Gloria, **no abras** la ventana.

Recuerda que la forma *tú* de la forma imperativa afirmativa es igual a la forma *él/ella* del tiempo presente. Observa cómo la *coma*, en el siguiente ejemplo, cambia el sentido de la oración.

Ejemplo:

Oración afirmativa	Forma imperativa afirmativa
Javier **abre** la ventana.	Javier, **abre** la ventana.

RETO Escribe dos formas afirmativas y dos negativas usando las formas *tú* y *usted*.

La posición de los pronombres en la forma imperativa del verbo

- Lee y contesta.

¿Qué dice el anuncio?   ¿Cuál es el verbo?   ¿Cómo termina?

APRENDE

Anteriormente aprendiste que los pronombres de complemento directo e indirecto se colocan antes del verbo, pero no siempre. Observa que en la forma imperativa, los pronombres se colocan después del verbo y van unidos a éste. Cuando se unen el verbo y el pronombre, casi siempre se marca el acento sobre la vocal que se pronuncia con más fuerza.

Ejemplos:

Raquel no está. **Llámela** usted más tarde.
Hijo, **tu abuela** preguntó por ti. **Escríbele** una carta.

Los pronombres que se usan con los verbos reflexivos, como *levantarse, lavarse* y *dormirse*, siguen el mismo patrón.

Ejemplos:

Niños, **duérmanse**. Ya es muy tarde.
Lávate las manos antes de comer.

Cuando las formas imperativas son negativas, el pronombre se pone entre la palabra *no* y el verbo.

Ejemplos:

¿Compro las plantas, mamá?   No, **no las compres**.
¿Me puedo subir al árbol?   No, **no te subas**.

RETO

Escribe las formas imperativas siguientes en forma negativa: *María, lávate las manos. Sra. Martín, llame al jardinero. Papá, cómprame este juego.*

Las plantas, seres vivos que necesitamos

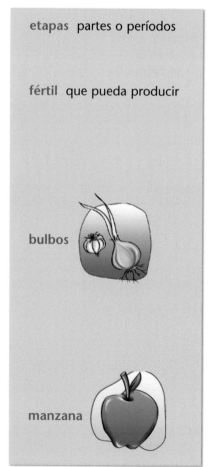

etapas partes o períodos

fértil que pueda producir

bulbos

manzana

La vida de una planta tiene varias etapas. La vida de muchas plantas comienza cuando sembramos una semilla, y a veces cuando una semilla cae sobre tierra fértil. De la semilla salen las raíces y el tallo. Cuando esto ocurre decimos que la semilla germina. Del tallo salen las hojas. La planta va creciendo poco a poco. Las raíces crecen hacia abajo, dentro de la tierra. El tallo crece hacia arriba, buscando la luz del sol.

Otras plantas se reproducen por bulbos. Los bulbos son tallos que guardan alimento. Por eso, estos tallos son gordos y cuando se siembran crece una planta. Así crece la cebolla.

Muchas plantas que nacen de semillas y bulbos dan flores, especialmente en la primavera y el verano. Las plantas también dan frutos. Algunos de estos frutos se cultivan porque son comestibles, y entonces los llamamos frutas, como la manzana, la naranja y la banana.

Al igual que los seres humanos, las plantas respiran y tienen que alimentarse para crecer. Las plantas respiran por las hojas. Se alimentan por las raíces que están debajo de la tierra. Es necesario que la tierra sea fértil y húmeda. Las plantas toman de la tierra los alimentos y el agua que necesitan para crecer. El agua disuelve los alimentos y las plantas los absorben más fácilmente.

Las plantas son muy necesarias. Los seres humanos las usamos para muchas cosas. Con la madera de los árboles construimos casas y muebles.

Hay plantas que son muy especiales y crecen en lugares calurosos. El algodón, por ejemplo, es una planta que produce unas fibras blancas cuando las flores se secan. Con esas fibras se hacen telas, y luego ropa de algodón. El árbol de cacao produce unos frutos con unas semillas que se llaman granos de cacao. Los granos se procesan y son el ingrediente principal para hacer chocolate.

No siempre usamos la misma parte de la planta como alimento. De algunas plantas, como el maíz y el maní, comemos la semilla. De otras plantas que son árboles, como el manzano y el naranjo, comemos la fruta. De la lechuga, comemos las hojas, y del apio, el tallo. La papa y la zanahoria son raíces. El brócoli o brécol es una flor.

construimos hacemos, fabricamos

maní

apio

1. ¿Qué describe el texto que leíste?

   a. Las variedades de frutas que producen los árboles.

   b. Cómo se comen las plantas.

   c. Algunas características y usos de las plantas.

2. ¿Cuál de estos alimentos es un bulbo?

   a. la cebolla   b. la manzana   c. el apio

3. Cuando la tierra es fértil…

   a. las plantas necesitan agua.

   b. las plantas crecen bien.

   c. las plantas se secan.

4. ¿Para qué sirve el algodón?

   a. Para comer.

   b. Para hacer chocolate.

   c. Para hacer ropa.

5. Las palabras *manzano* y *naranjo*…

   a. están mal escritas.

   b. son nombres de dos frutos.

   c. son árboles que producen frutas, manzanas el primero y naranjas el segundo.

6. ¿Qué plantas hay en tu casa o te gustaría tener?

ACTIVIDAD

- Divide una hoja de dibujo por la mitad. En una mitad, dibuja una planta que da flores y, en la otra, dibuja una planta que comemos. Rotula cada planta con su nombre.

Escribir acerca de las plantas

1. Emily conoce muy bien los cactus. Lee qué escribió acerca de ellos.

CACTUS PARA TODOS LOS GUSTOS

Hay un tipo de planta que es muy especial porque puede almacenar agua en sus tallos. Estas plantas son los cactus de los desiertos. Allí existen cactus de gran tamaño como el saguaro, que parece llegar hasta el cielo y vive alrededor de 200 años.

Otro cactus muy conocido es el nopal. Este cactus crece mucho en México y en los estados del suroeste. Los tallos del nopal son planos y ovalados, con espinas. El fruto que crece de los tallos es morado cuando madura, y se llama tuna.

No todos los cactus crecen en el desierto. Hay cactus que puedes sembrar en macetas y tenerlos en tu casa. Los puedes comprar en las tiendas y son muy variados. Por ejemplo, hay uno que llaman "abuelo" por estar todo cubierto de pelos blancos. El cactus de barril es redondo como un barrilito, y el cactus erizo lleva ese nombre porque tiene forma de bola y púas filosas, como el erizo de mar.

Los cactus son fáciles de cultivar pues no necesitan mucho cuidado: una ventana soleada y un poquito de agua de vez en cuando es suficiente. Pero ten cuidado, pues los cactus con sus espinas filosas te pueden pinchar.

2. Cuando describimos distintos tipos de una misma clase, debemos escribir acerca de las características que son comunes a toda la clase y de las características particulares de cada tipo.

   a. ¿Qué tipo de plantas te gustaría comparar?
   b. ¿Qué plantas son las más variadas?
   c. ¿Dónde podrías observar plantas para describirlas?

3. Escribe acerca de las variedades de una clase de plantas. Sigue estos pasos:

Primer paso: El plan
Piensa en un lugar donde podrías observar distintas clases de plantas; por ejemplo, un jardín, un parque o una floristería. Haz una lista de las plantas que podrías ver allí. Escoge una clase variada; por ejemplo, árboles del parque, plantas que florecen en el jardín o plantas de Navidad. Toma notas de cómo son estas plantas. Luego lee acerca de ellas en libros o la Internet.

Reúne la información en un cuadro como el siguiente:

Clase de plantas:	
¿Qué tipos observé? ¿Cómo son?	¿Qué leí acerca de ellas? ....

Segundo paso: El borrador
Confirma que tienes suficiente información. Si necesitas añadir algo, hazlo. Subraya las características comunes en rojo y las no comunes en azul. Luego usa tus notas para hacer un borrador. Comienza con una oración que describa una característica común y que capte la atención del lector. Escribe los párrafos alternando entre características comunes y características propias de cada tipo.

Tercer paso: La revisión
Revisa tu borrador. Léelo en voz baja y presta atención a las ideas que has escrito. Haz los cambios que creas necesarios. Luego intercambia tu escrito con un compañero o compañera y pregúntale qué sugerencias tiene sobre tu trabajo. Revisen cada uno el trabajo del otro. Presten atención a aspectos como los siguientes:

- ¿Está presentado el tema de manera que interesa al lector?
- ¿Están las ideas presentadas en un orden lógico?
- ¿Usas demasiado la palabra y en tus oraciones? ¿Separaste las oraciones con puntos?
- ¿Hay en cada párrafo una idea principal y el primer renglón empieza más adentro?
- ¿Están bien los tiempos verbales y la concordancia de género (masculino o femenino) y número (singular o plural)?
- ¿Está correcta la ortografía, el uso de letras mayúsculas y la puntuación?

Cuarto paso: La presentación
Haz los cambios necesarios y pasa en limpio tu escrito. No olvides el título. Comparte y presenta tu trabajo según te lo indique tu maestro o maestra.

Cuentos de abuelos

En esta unidad vas a:

- leer un texto dramático acerca de unos bancos de parque que desaparecen.

- usar claves de contexto para identificar el significado de algunas palabras.

- relacionar las letras *s* y *z* al sonido /s/.

- aprender las formas de los verbos del grupo *–ir* con cambios en la raíz.

- leer un cuento circular acerca de un abuelo, su nieta y un burro.

- escribir un diálogo.

¿Dónde están los bancos?

Al abuelo le gusta salir a caminar por las tardes. Va a la plaza. Allí pasa un rato conversando con sus amigos. Pero hoy observó un gran alboroto. Sus amigos estaban reunidos en el centro de la plaza y se acercó.

EL ABUELO: Pero, ¿qué pasa aquí?
TOMÁS: ¿No ves, Julián? Mira, se llevaron los bancos.
AGUSTÍN: ¡No hay derecho! ¡Los bancos! ¡Se los han llevado!
ESTEBAN: Está claro que ya no nos quieren aquí.
EL ABUELO: Calma, amigos. A ver… preguntemos a Luis.
A ver que dice él. Él siempre está en el quiosco vendiendo periódicos y revistas, y se fija en todo.

El grupo se dirige al quiosco de Luis en una esquina de la plaza.

EL ABUELO: Hola, Luis. No tenemos bancos para sentarnos.
LUIS: Así es. Esta mañana llegó un camión del Departamento de Parques y se llevó todos los bancos.
AGUSTÍN: ¿Y tú no preguntaste por qué se los llevaban?
EL ABUELO: ¿No preguntaste nada?
LUIS: No.
ESTEBAN: ¿No pensaste que era extraño lo que hacían?

alboroto personas discutiendo, haciendo mucho ruido

bancos

quiosco

se fija pone atención

122

AGUSTÍN: ¿Dónde vamos a sentarnos ahora a conversar?

En el quiosco estaba una señora mirando revistas. Por momentos, ponía atención a la conversación. De pronto, se dirigió al grupo queriendo ayudar:

LA SEÑORA: Perdón, señores. Si ustedes buscan un banco, caminen hasta la esquina, luego doblen a la derecha, y en esa calle hay un banco a mitad de cuadra.

LUIS: No, señora. Ése no es el banco que ellos buscan.

doblen   den la vuelta

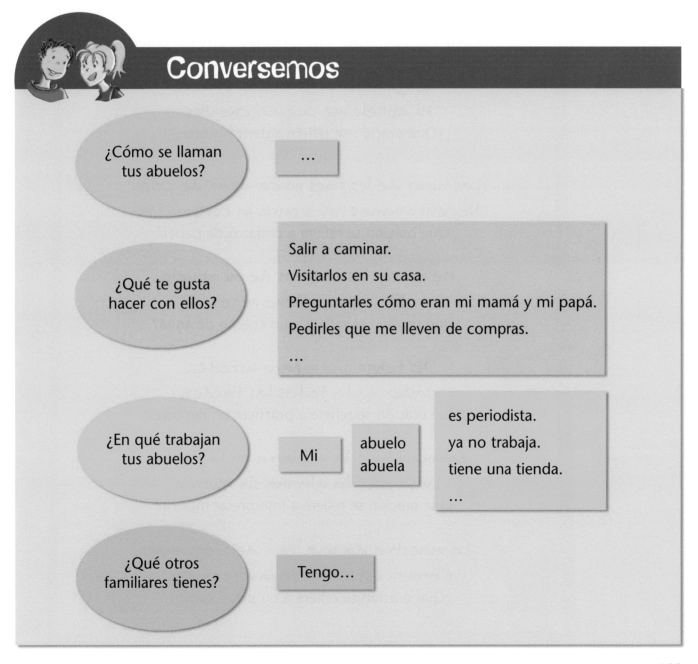

Conversemos

¿Cómo se llaman tus abuelos?

...

¿Qué te gusta hacer con ellos?

Salir a caminar.

Visitarlos en su casa.

Preguntarles cómo eran mi mamá y mi papá.

Pedirles que me lleven de compras.

...

¿En qué trabajan tus abuelos?

Mi

abuelo
abuela

es periodista.

ya no trabaja.

tiene una tienda.

...

¿Qué otros familiares tienes?

Tengo...

Palabras con más de un significado

Al igual que en inglés, muchas palabras en español tienen más de un significado. Para saber qué significado es correcto hay que examinar el contexto de la oración.

Esta mañana llegué tarde a la escuela.

Mañana visitaré a mi abuela.

¿Qué oración se refiere a un suceso de hoy?

Pintaron los bancos del parque.

Los bancos están cerrados hoy.

¿Qué oración se refiere a un lugar para guardar dinero?

Tengo una cuenta en el banco.

Mi abuelo me cuenta cuentos.

¿Qué oración se refiere a decir historias?

Las hojas de los pinos no cambian de color.

Necesito varias hojas para la composición.

¿Qué oración se refiere a pedazos de papel?

Me río con los cuentos de mi abuelo.

El río ya no tiene peces.

¿Qué oración se refiere a un cuerpo de agua?

No tengo nada para ustedes.

Javier nada todas las tardes.

¿Qué oración se refiere a practicar un deporte?

Amanda tocó la guitarra en la fiesta.

Luisa tocó la alarma sin querer.

¿Qué oración se refiere a interpretar música?

La maestra da una lista de preguntas.

Carmen está lista para el examen.

¿Qué oración se refiere a un papel escrito?

La letras s y z

- Lee en voz alta.

Una artista famosa,
se puso a pintar un día
un animal nunca visto:
Decía que era un zorro
con pico de garza,
lengua de serpiente
y cola de pez.

APRENDE

Las letras *s* y *z* representan el sonido /s/, aunque en algunas partes de España la letra *z* se pronuncia de manera diferente.
Ejemplos: siete, semana, salida, zapato, zacate, zorro, arroz, tos

- Como sabes, el plural de la mayoría de las palabras se forma con la letra *s* o la terminación –*es*
  Ejemplos:
  banco → bancos, artista → artistas, animal → animales, flor → flores

- Si en una familia de palabras la raíz se escribe con *s*, todas las palabras derivadas se escriben también con *s*.
  Ejemplos:
  sentir, sentimiento, sentido
  paso, paseo, pasar, pasillo
  salida, salir, saliente

- Se escriben con *s* las palabras que terminan en –*oso*, –*osa*. Muchas de estas palabras son adjetivos derivados de un sustantivo.
  Ejemplos:
  fama: famoso/famosa
  miedo: miedoso/miedosa
  cuidado: cuidadoso/cuidadosa

- También se escribe con *s* la terminación –*ista* de sustantivos que nombran profesiones u oficios.
  Ejemplos: artista, pianista, periodista, deportista

- En el caso de las palabras que se escriben con *z*, lo mejor es memorizar que se escriben así, como éstas que ya conoces: *zapato, azul, zacate, pez* y *lápiz*.

Verbos con cambios en la raíz e → i

- Lee y contesta.

Los amigos **piden** sándwiches y refrescos.

La mesera les **sirve** la comida.

¿Qué piden estos amigos?

¿Qué les sirve la mesera?

APRENDE

En algunos verbos con infinitivos que terminan en –ir, la raíz cambia de e a i. Este cambio ocurre en las formas del presente, excepto en la primera persona plural, *nosotros*. Fíjate en las formas del verbo *pedir*:

(yo)	pido
(tú)	pides
(él, ella)	pide
(usted)	pide
(nosotros, –as)	pedimos
(ellos, ellas)	piden
(ustedes)	piden

Servir y *seguir* son otros verbos con el mismo cambio en la raíz.

Ejemplos:

Siempre **pedimos** ensaladas cuando salimos a comer.
Siempre **sigo** los consejos de mis padres.
Si tú no **sigues** las reglas, yo ya no juego.

RETO   ¿Cuáles son las formas del verbo *seguir* en el presente?

El pretérito de verbos del grupo –ir con cambios en la raíz

- Lee y contesta.

El maestro nos **pidió** decorar el salón de clases para la fiesta del Día de San Valentín.

¿Qué pidió el maestro a los niños?

¿Qué les pidió su maestro a ustedes hoy?

APRENDE

Anteriormente aprendiste que en el tiempo pretérito, no ocurren cambios en la raíz de los verbos con infinitivos en –ar e –ir. Únicamente en algunos verbos con infinitivos que terminan en –ir ocurren pequeños cambios.

Los cambios ocurren en la tercera persona, tanto singular como plural. Fíjate cómo la raíz cambia de e a i en el verbo *pedir* y de o a u en el verbo *dormir*.

	pedir	*dormir*
(yo)	pedí	dormí
(tú)	pediste	dormiste
(él, ella)	pidió	durmió
(usted)	pidió	durmió
(nosotros, –as)	pedimos	dormimos
(ellos, ellas)	pidieron	durmieron
(ustedes)	pidieron	durmieron

Servir y *seguir* también cambian como *pedir*. *Morir* cambia como *dormir*.

Ejemplos:

Ellas **pidieron** flores para decorar la casa.
Yo **pedí** unos libros para regalar.
Mi abuelo **duerme** menos que mi papá.

RETO ¿Cuáles son las formas de los verbos *seguir* y *morir* en el pretérito?

Un viaje de sube y baja

pueblo ciudad pequeña

Un abuelo y su nieta salieron una mañana muy temprano con su burro para venderlo en el mercado de su pueblo. Iban contentos, mientras caminaban a buen paso. Cuando pasaron junto a una casa del camino, oyeron a unos hombres que decían: —Mira a esos dos que van pasando. Tienen un burro y van caminando.

El campesino pensó que aquellos hombres tenían razón y le pidió a su nieta que se subiera en el burro.

Un poco más adelante, se cruzaron con un grupo de mujeres. Una de ellas se acercó a la niña y le dijo: —Parece mentira, muchacha. Tú vas montada en el burro y tu pobre abuelo caminando. ¿No te da pena?

muchacha niña

te da pena te hace sentir mal

La niña se bajó rápidamente del burro. Le propuso a su abuelo que mejor se subiera él. Y así continuaron.

Al rato pasaron junto a unos campesinos y oyeron que uno de ellos decía: —¿Ya vieron qué anciano tan desconsiderado? Él va muy contento montado en el burro y la pobre niña está cansada de caminar. ¡Y seguramente van muy lejos!

anciano viejo

desconsiderado que no es atento o cortés

En cuanto oyó estas palabras, el anciano se bajó del burro. Él nunca había pensado tratar mal a su nieta. Le dijo a la niña que volviera a subirse en el burro. Pero la nieta no quiso montar de nuevo. Pensaba que tal vez pasaría alguien y la volvería a regañar.

Abuelo y nieta platicaron un rato para ver quién se subiría al burro. Luego pasó un pastor y les dio una buena idea: —¿Por qué no se suben los dos en el burro? Así no habrá ningún problema.

Y así lo hicieron. La niña se subió y se sentó delante de su abuelo.

Abuelo y nieta continuaron felices su camino. No habían pasado ni cinco minutos cuando se cruzaron con otros campesinos: —¡Ey! ¿Qué hacen? ¡Desde luego, el burro no debe ser de ustedes! ¡Lo van a reventar con tanto peso!

En ese momento, el abuelo y su nieta se preocuparon seriamente. Si de verdad el burro se cansaba, llegaría al pueblo con muy mal aspecto y nadie lo iba a comprar. Y ellos querían venderlo.

Así que se bajaron del burro y decidieron continuar tal y como habían comenzado su camino: los dos a pie.

Cuento popular

platicaron conversaron	
pastor persona que cuida ovejas	
felices muy contentos	
reventar deshacer violentamente	
se preocuparon se alarmaron	

1. ¿Qué querían hacer con el burro el abuelo y su nieta?

   a. Lo querían vender.

   b. Querían subirse en él.

   c. Le querían enseñar a caminar.

2. Identifica el anciano.

   a.    b.    c.

3. ¿Quiénes regañaron a la niña?

   a. Un grupo de hombres.

   b. Un grupo de mujeres.

   c. Un pastor.

4. ¿Por qué el abuelo y la nieta continuaron a pie?

   a. Porque le daba pena a la nieta.

   b. Porque al abuelo lo llamaron desconsiderado.

   c. Porque el burro llegaría al pueblo con mal aspecto.

5. ¿Por qué el abuelo y su nieta van a vender el burro?

   a. La nieta no lo quiere.

   b. El cuento no lo dice.

   c. El burro está cansado.

6. ¿Crees que el abuelo y su nieta tratan mal al burro? ¿Por qué sí o por qué no?

ACTIVIDAD

- Inventa un tablero para jugar un juego de mesa con dados, basado en el cuento.

Escribir un diálogo

1. Andy escribió un diálogo que imaginó tener con su papá. Lee el diálogo de Andy.

UN DIÁLOGO CON PAPÁ

—¿Papá, me puedes dar dinero para ir a la feria?

—¿Otra vez? ¿Qué hiciste con el dinero que te di el domingo?

—Compré unas revistas.

—Pídele dinero a tu mamá.

—Ella no está. Fue de compras. ¿Recuerdas que necesito ropa para la escuela?

—¡Nadie en esta familia sabe el valor de un dólar!

—¡Yo sí, papá! Por eso te pido veinte para ir a la feria.

—Hijo, no tengo dinero ahora. Tengo que ir al banco.

—Te acompaño, papá, te acompaño.

---

2. Un diálogo es una conversación entre dos o más personas que se turnan para hablar sobre un tema.

   a. Piensa en los familiares con quiénes tú conversas.
   b. ¿A quién de ellos te gustaría usar en un diálogo?
   c. ¿Cómo escribirías el diálogo?

Cuando escribimos un diálogo es importante saber usar algunos signos de puntuación:
   - Recuerda que hay dos signos de interrogación, uno que va al principio de una pregunta directa y otro que va al final (¿ ?).
   - También hay dos signos de admiración, uno que va al principio de la oración exclamativa y otro al final (¡ !).
   - Fíjate que la raya o guión mayor (—) se usa en los diálogos para indicar la persona o personaje que habla.

3. Escribe un diálogo con un familiar. Sigue estos pasos:

Primer paso: El plan
Decide quién va a ser el familiar con quién vas a conversar. Decide si vas a escribir un diálogo que recuerdas o si vas a inventarlo. ¿De qué va a tratar el diálogo?

Organiza tus notas en un cuadro como el siguiente.

¿De qué va a tratar el diálogo? ....

¿Qué vas a decir tú?	¿Quién es el familiar?
....	....
	¿Qué va a decir?
....	....

Segundo paso: El borrador
Confirma que has anotado suficiente información para escribir por lo menos cuatro intercambios entre tu familiar y tú. Luego usa tus notas para hacer un borrador de tu diálogo. Comienza haciendo una pregunta a tu familiar, como en el ejemplo. Tu pregunta debe indicarle al lector de qué va a tratar el diálogo. Luego continúa escribiendo los intercambios entre tu familiar y tú en un orden interesante y lógico.

Tercer paso: La revisión
Revisa tu borrador. Léelo en voz baja y presta atención a las ideas que has escrito. Haz los cambios que creas necesarios. Luego intercambia tu diálogo con un compañero o compañera y pregúntale qué sugerencias tiene sobre tu trabajo. Revisen cada uno el trabajo del otro. Presten atención a aspectos como los siguientes:

- ¿Está presentado el diálogo de manera que interesa al lector?
- ¿Están los intercambios presentados en un orden lógico?
- ¿Usas demasiado la palabra *y* en tus oraciones? ¿Separaste las oraciones con puntos o signos de interrogación o admiración, según sea necesario?
- ¿Escribiste una raya cada vez que uno de ustedes empezó a hablar?
- ¿Están bien los tiempos verbales y la concordancia de género (masculino o femenino) y número (singular o plural)?
- ¿Está correcta la ortografía, el uso de letras mayúsculas y la puntuación?

Cuarto paso: La presentación
Haz los cambios necesarios y pasa en limpio tu diálogo. No olvides el título. Comparte y presenta tu trabajo según te lo indique tu maestro o maestra.

Héroes para siempre

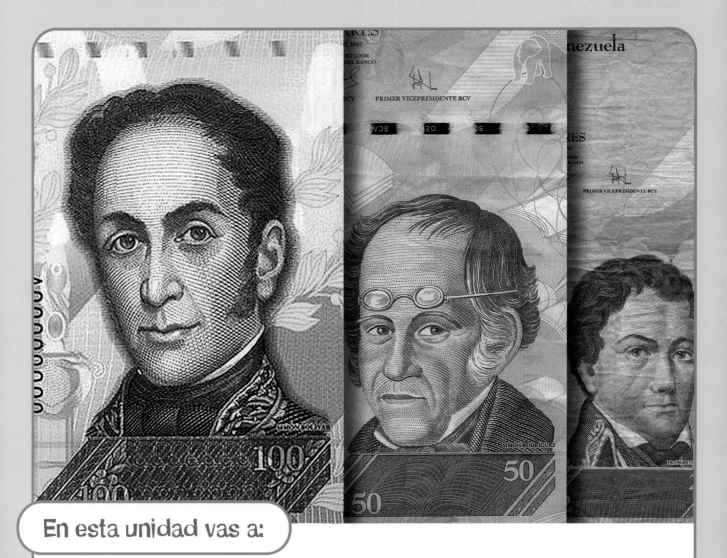

En esta unidad vas a:

- leer un corrido en honor a César Chávez.

- conocer a grandes figuras de la historia.

- relacionar las sílabas *ce, ci* al sonido /s/.

- distinguir entre los verbos *pedir* y *preguntar*.

- aprender a usar otra forma imperativa.

- usar el pronombre *se* en expresiones impersonales

- leer una pequeña biografía de José Martí.

- escribir una entrevista.

Corrido de César Chávez

allá   tiempo lejano

campesinos   gente que vive
en el campo y trabaja la tierra

esperanza   el ideal de un
tiempo mejor

huelgas   actividades que
consisten en dejar de trabajar
para protestar

Fue allá por mil novecientos,
en el año veintisiete,
cuando nació César Chávez;
lo tengo yo muy presente.

Cerca de Yuma, Arizona,
así lo quiso el destino;
la tierra de César Chávez;
líder de los campesinos.

En las ciudades y campos,
la esperanza nunca muere;
ya lo dijo César Chávez,
—Compañeros, ¡SÍ SE PUEDE!

A huelgas, boicots y marchas,
los campesinos se entregan;
levantan banderas rojas
y con el águila negra.

Delano, Fresno y Madera,
Merced, Manteca y Modesto,
y César pide justicia
al llegar a Sacramento.
En las ciudades y campos…

Dicen los trabajadores,
—Hay que unirse pa' luchar,
con César Chávez de líder,
nuestras vidas cambiarán.

Hombres, mujeres y niños,
de ellos tú eres la esperanza.
¡Qué vivan los campesinos!
¡La Huelga y también la Causa!

José Luis Orozco

pa' forma familiar de
decir para

¡qué vivan! exclamación
que indica aprobación

la Causa el motivo de la
protesta que era obtener
mejores condiciones de vida

Conversemos

¿Cómo puedes obtener información sobre una persona famosa?

Preguntando a los maestros.

Pidiendo ayuda en la biblioteca.

Buscando en la Internet.

Leyendo la enciclopedia.

…

¿Qué haces cuando

el maestro
la maestra

dice,

"Pongan atención"?

"Hagan silencio"?

"Pasen al pizarrón"?

"Aprendan de memoria"?

"Contesten en español?"

¿Qué se necesita para

pasar un examen?

ganar un campeonato?

sacar una A en la clase de español?

ser un buen líder?

Estudiar mucho.

Entrenar todos los días.

Estudiar mucho.

Tener talento.

Cuatro hispanos famosos

Rubén Darío (1867-1916)
El poeta más famoso del movimiento literario conocido como el *modernismo*, que se caracteriza por la belleza del lenguaje de sus versos.

Benito Juárez (1806-1872)
Presidente mexicano y defensor de México durante la ocupación francesa, 1864-1867. Es el autor de la famosa frase, "El respeto al derecho ajeno es la paz".

Rigoberta Menchú Tum (1959-)
Defensora de los derechos humanos para los pueblos indígenas. Ganadora del Premio Nobel de la Paz en 1992.

César Chávez (1927-1993)
Líder sindical y organizador del movimiento que obtuvo mejores condiciones de vida para los campesinos.

Las sílabas *ce, ci*

- Lee en voz alta.

Caminando por la plaza,
en el centro de la ciudad,
cien centavos encontré.
Uno por uno, los conté.

APRENDE

- Anteriormente aprendiste que la letra *c* representa el sonido /k/ delante de las vocales *a, o* y *u*. Delante de las vocales *e, i* representa /s/, el mismo sonido que las letras *s* y *z*.
  Ejemplos:
  palabras con el sonido /k/: Carlos, color, cuerpo
  palabras con el sonido /s/: centavo, enciclopedia

- Es importante memorizar cómo se escriben las palabras que llevan el sonido /s/ delante de las vocales *e, i*, ya que a veces se escriben con *c* y otras veces con *s*.
  Ejemplos con *c*: César, centro, doce, hacer, ciudad, cien, concierto
  Ejemplos con *s*: semilla, sentido, paseo, silla, casita, simple

- Se escribe con *c* la terminación *–ces* para formar el plural de las palabras que en singular terminan en *z*.
  Ejemplos:
  raíz → raíces, pez → peces, feliz → felices, luz → luces

- Se escribe con *c* la forma *yo* del pretérito y la forma imperativa *usted, ustedes* de los verbos con infinitivos que terminan en *–zar*, como *almorzar, empezar* y *comenzar*.
  Ejemplos:
  Comencé a estudiar español el año pasado.
  Hoy no almorcé.
  Almuerce con nosotros, Sr. Contreras.

- En el caso de palabras que terminan en *–ión*, también es importante memorizar si se escriben con *c* o con *s*.
  Ejemplos con *c*: nación, instrucción, dirección, canción, estación, condición
  Ejemplos con *s*: pasión, mansión, decisión, tensión, ocasión, comprensión

Los usos de *pedir* y *preguntar*

- Lee y contesta.

Cuando sale, la mamá le **pide** a su hija volver temprano.

Cuando vuelve, la mamá le **pregunta** adónde fue.

¿Qué le pide la mamá a su hija?

¿Qué le pregunta?

APRENDE

Los verbos *pedir* y *preguntar* significan *to ask*, en inglés. Aunque tienen el mismo significado, sus usos son distintos en español.

El verbo *preguntar*, que es un verbo regular de la primera conjugación, se usa en preguntas. El verbo *pedir*, que aprendiste en la unidad anterior, se usa para expresar un pedido, algo que uno quiere que otra persona dé o haga.
Ejemplos:
Pregunta a tus abuelos qué personaje histórico admiran.
Mi maestro me **preguntó** dónde estuve ayer.
Mi maestro me **pidió** la tarea sobre César Chávez.
Mis amigos siempre me **piden** favores.

RETO

Escribe cuatro oraciones, dos con el verbo *preguntar* y dos con el verbo *pedir*.

El imperativo: la forma *ustedes*

- Lee y contesta.

Niños, **abran** sus cuadernos y **escriban** los nombres de tres hispanos famosos.

¿Qué pide la maestra a los niños?

¿Qué palabras son verbos?

Anteriormente estudiaste las formas imperativas de los verbos que se usan para dar instrucciones o pedir algo a una persona. Para dirigirte a dos o más personas, debes agregar una *n* a la forma *usted*.

(usted)	tome	termine	recoja	escriba
(ustedes)	tome**n**	termine**n**	recoja**n**	escriba**n**

Ejemplos:
Amigos, **miren** por dónde caminan.
Sigan bien las instrucciones.

RETO

Escribe dos formas imperativas que le dirías a tu maestro o maestra y dos formas imperativas que le dirías a tus hermanos.

Usos del pronombre *se*

● Lee y contesta.

Antonio mira qué libros **se venden**.

Antonio **se compra** un libro de poemas.

¿Qué mira en la tienda Antonio?

¿Qué se compra Antonio?

Anteriormente aprendiste que *se* es un pronombre de tercera persona que se usa con verbos reflexivos. En una construcción reflexiva, la acción del verbo recae en el sujeto.

Ejemplos:
Luis **se peina**.   *Luis combs his hair (combs himself).*
María **se compró** un vestido para la fiesta.   *María bought herself a dress for the party.*

Se también se usa de forma impersonal. Una construcción impersonal no indica qué o quién hace la acción que expresa el verbo.

Ejemplos:
Aquí **se habla** español.   *Spanish is spoken here.*
La palabra *humano* **se escribe** con *h.*   *The word* humano *is written with an h.*

RETO

Escribe cuatro oraciones con el pronombre *se*. En dos de ellas usa *se* de forma reflexiva y en las otras dos úsalo de forma impersonal.

José Martí, patriota y poeta

hijo mayor el más grande, el que tiene más edad

José Julián Martí y Pérez nace en La Habana, el 28 de enero de 1853. La casa donde nació todavía existe y es un museo. Martí es el hijo mayor de Mariano Martí y Leonor Pérez. Ellos eran españoles que vivían en Cuba. Después de José, sus padres tienen siete hijos más, todas mujeres. La familia es pobre.

A Martí no le importa ser pobre. A veces el papá no entiende la pasión de su hijo por la lectura y la escritura. El papá quiere que José trabaje para ayudar económicamente a la familia. Su mamá, en cambio, simpatiza con José. El niño es muy buen estudiante.

simpatiza con está a favor de

década período de diez años

periodista persona que escribe para un periódico

espada

En la escuela secundaria, Martí empieza a escribir sobre temas políticos. Es la década de 1860, y en las Américas, solamente Cuba y Puerto Rico siguen siendo colonias españolas. A la edad de 16 años, Martí ya es periodista. Está a favor de la independencia de Cuba. Va a pelear por la libertad usando la pluma, no la espada.

Las opiniones de Martí son mal vistas por las autoridades españolas. Con sólo 17 años, es condenado a seis años de prisión. Es forzado a trabajar en una cantera con otros prisioneros. El mal trato y el trabajo forzado le causarán problemas de salud para el resto de su vida. Después de seis meses es deportado a España, en 1871.

Martí pasa casi todo el resto de su vida viviendo fuera de Cuba. Después de cuatro años en España, vive en México y Guatemala por un tiempo. En 1881 se va a Nueva York. Vive allí casi 14 años.

En Nueva York, Martí trabaja mucho. Como líder político y patriota, funda el Partido Revolucionario Cubano y organiza la Guerra de Independencia. Como escritor, produce varias obras. Dos de las más importantes son la colección de poemas *Versos sencillos* y la revista para niños *La Edad de Oro*, con artículos, cuentos y poemas que él mismo escribe.

En enero de 1895, Martí deja Nueva York para regresar a Cuba. Va a continuar su lucha por la libertad donde la había comenzado cuando era adolescente. Ahora regresa para ser soldado y participar en la guerra. Es un hombre de 42 años. Muere en combate el 19 de mayo, defendiendo la causa en la que creyó toda su vida. En sus *Versos sencillos*, publicados cuatro años antes, había escrito:

> *Yo soy un hombre sincero*
> *de donde crece la palma,*
> *y antes de morirme quiero*
> *echar mis versos del alma.*

cantera lugar rocoso de donde se saca y se rompe la piedra

deportado obligado a irse del país donde vive

funda empieza

lucha pelea

adolescente persona entre los trece y diecinueve años de edad

1. ¿De qué trata el texto que leíste?

   a. De la vida en Cuba durante la década de 1860.

   b. De la vida de un héroe que luchó por su país.

   c. De cómo se vivía en Nueva York.

2. ¿Cómo se le llama a este tipo de texto?

   a. Artículo.

   b. Biografía.

   c. Historia.

3. ¿Qué era Cuba cuando Martí vivía?

   a. Una colonia española.

   b. Una nación que no tenía gobierno.

   c. Una nación independiente.

4. ¿Por qué se fue Martí de Cuba?

   a. Porque quería viajar y conocer algunos países hispanos.

   b. Porque era pobre y se fue a trabajar a otro país.

   c. Porque el gobierno español de Cuba no lo dejó vivir allí.

5. ¿Dónde murió Martí?

   a. En la prisión.

   b. En el campo de batalla.

   c. En Nueva York.

6. ¿Qué significa para ti la palabra *libertad*?

ACTIVIDAD

• Dibuja una línea del tiempo como la siguiente. Anota en ella los datos sobre la vida de José Martí.

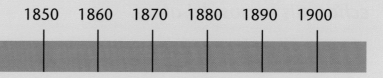

1850   1860   1870   1880   1890   1900

Entrevista a una persona famosa

1. Ralph imaginó que era periodista y que vivía en Nueva York en 1890. Lee la entrevista que imaginó hacerle a José Martí.

Entrevista a José Martí

Ralph: Gracias, don José por darme la oportunidad de conversar con usted sobre su vida y sus intereses.

Martí: Es un placer conversar con otro periodista, especialmente con un periodista estadounidense como usted.

Ralph: El pueblo de Estados Unidos quiere saber qué pasa en Cuba. ¿Por qué siguen allí los españoles? ¿Por qué no permiten la libertad?

Martí: Es muy triste lo que está pasando. El gobierno español es fuerte y el pueblo cubano se tiene que unir. Todos debemos demostrar que estamos a favor de la independencia.

Ralph: ¿Le gustaría volver a Cuba y hacer eso?

Martí: ¿Qué?

Ralph: Unir al pueblo.

Martí: Bueno, eso es algo que estoy haciendo con todos los cubanos que viven fuera de la isla. Aquí en Estados Unidos y en otros países.

Ralph: Además de periodista, usted también es poeta.

Martí: Sí, y también me gusta escribir para los niños.

Ralph: Usted ha dicho que "los niños son el futuro del mundo". Y yo estoy de acuerdo. Muchas gracias, don José, por sus respuestas y sus opiniones.

2. Una entrevista es un diálogo en forma de pregunta y respuesta. El entrevistador o entrevistadora pregunta. La persona entrevistada contesta.

   a. ¿Te gustaría entrevistar a un personaje histórico o del presente, real o imaginario?
   b. ¿Qué te gustaría saber acerca de ese personaje?
   c. ¿A quiénes les interesaría tu entrevista?

3. Escribe una entrevista imaginaria. Sigue estos pasos:

Primer paso: El plan

Decide quién va a ser la persona entrevistada. Asegúrate de que sabes algo acerca de esta persona. Hazte preguntas como éstas: ¿Qué ha hecho que es interesante? ¿Qué opiniones tiene? ¿De qué quiero hablar con esta persona?

Organiza tus ideas en un cuadro como el siguiente:

Persona que voy a entrevistar:	
Razones para entrevistarla:	
Preguntas que le voy a hacer:	Posibles respuestas de la persona:
....	....
....	....

Segundo paso: El borrador

Confirma que tienes preguntas y respuestas interesantes. Si necesitas añadir o cambiar algo, hazlo. Luego escribe un borrador de tu entrevista. Comienza con un saludo a la persona entrevistada. Luego escribe tus preguntas y respuestas en un orden lógico. Al final escribe una despedida, como en el ejemplo.

Tercer paso: La revisión

Revisa tu borrador. Léelo en voz baja y presta atención a las ideas que has escrito. Haz los cambios que creas necesarios. Luego intercambia tu entrevista con un compañero o compañera y pregúntale qué sugerencias tiene sobre tu trabajo. Revisen cada uno el trabajo del otro.

- ¿Está presentada la entrevista de manera que interesa al lector?
- ¿Están las preguntas presentadas en un orden lógico?
- ¿Usas demasiado la palabra *y* en tus oraciones? ¿Separaste las oraciones con puntos?
- ¿Hay en cada párrafo una idea principal y el primer renglón empieza más adentro?
- ¿Están bien los tiempos verbales y la concordancia de género (masculino o femenino) y número (singular o plural)?
- ¿Está correcta la ortografía, el uso de letras mayúsculas y la puntuación?

Cuarto paso: La presentación

Haz los cambios necesarios y pasa en limpio tu entrevista. No olvides el título. Comparte y presenta tu trabajo según te lo indique tu maestro o maestra.

Impresiones de la naturaleza

En esta unidad vas a:

- leer la letra de canciones que hablan de proteger la naturaleza.

- aumentar tu vocabulario para hablar de regiones naturales.

- relacionar la letra *ñ* a su sonido y aprender para qué se usa la diéresis.

- aprender las irregularidades y los usos de los verbos *saber* y *conocer*.

- leer un artículo que explica qué es un ecosistema.

- describir aspectos geográficos de un país o estado.

Canciones de Ignacio Copani

Habla el árbol

Hace ochenta años me pusieron
para hacer la calle menos gris.
Hace ochenta años me sostengo
con lo que me dejan de raíz.

Sálvame,
no me hieras más la piel.
Sálvame,
soy tu amigo, ¿no me ves?
Sálvame,
y del aire que me des
yo también
aire nuevo te devolveré.

me sostengo mantenerse de pie

hieras hagas daño

devolveré daré otra vez

savia líquido que circula por las plantas y las alimenta

maltrates trates mal

Habla la naturaleza

Cada pedacito de esta tierra:
savia, nube, sangre, piedra y luz,
todos hoy estamos dando vueltas
en la misma órbita que tú.

Sálvate,
no maltrates tu lugar.
Gánate
el derecho a respirar.
Sálvate,
o mañana ya no habrá
quien le dé
a la vida otra oportunidad.

Habla el agua

Vengo del principio de los siglos,
mi vestido te cubre de sal
y te doy mi abrazo que es de río,
mi frescura que es de manantial.

Sálvame,
yo soy parte de tu ser.
Sálvame,
si yo muero, tú también.
Sálvame,
que en cualquier lugar que estés
yo soy quien,
gota a gota, calmará tu sed.

Ignacio Copani

principio comienzo	
manantial corriente de agua que nace de la tierra	
ser persona	
sed necesidad de tomar agua	

Conversemos

¿Vives en el campo, en un pueblo o en una ciudad grande?

Vivo en...

¿Qué te gusta del campo?

El aire puro.
Las vistas.
Las montañas.
Las haciendas donde hay vacas y caballos.
Los caminos con árboles.
...
No me gusta nada.

¿Qué parques nacionales conoces?

Conozco

Yosemite en California.
los Everglades en Florida.
el Big Bend en Texas.
...
No conozco ninguno.

Las regiones naturales

El desierto

Este desierto está en Arizona. En los desiertos hay muy pocas plantas. El clima es seco.

Las montañas

Estas montañas están en Chile. En los picos de estas montañas no hay plantas. Los picos siempre están cubiertos de nieve.

El bosque tropical

Este bosque tropical está en Panamá. El clima es húmedo. Hay gran variedad de plantas que crecen juntas.

La llanura

Esta llanura está en Venezuela. Las llanuras son planas y la tierra es buena para las vacas. Las llanuras también se usan para cultivar cereales.

La letra *ñ* y las sílabas *güe, güi*

- Lee en voz alta.

Un niño sueña
que en una barca
rema hasta España
con un pingüino
y una cigüeña.

APRENDE

- La letra *ñ* representa el sonido /ñ/. Esta letra es como la letra *n*, con la diferencia que lleva un signo que se llama *tilde*. Como las letras *n* y *ñ* representan sonidos diferentes, es importante no olvidarse de escribir la tilde. Hay muchas palabras con *ñ* que ya conoces, como *montaña*, *niña*, *año* y *sueño*.

- En una unidad anterior aprendiste que las sílabas *gue* y *gui* representan el sonido /g/, y que la vocal *u* no se pronuncia. Pero hay una excepción: la vocal *u* se pronuncia cuando lleva diéresis. *Diéresis* es el nombre de los dos puntos que se colocan sobre la letra *u*.

Ejemplos:

Claudia es nicaragüense.
Agüita, por favor, que me muero del calor.

RETO

Únete a un compañero o compañera para escribir una lista con todas las palabras que conozcan con la letra *ñ* y las sílabas *güe, güi*.

El verbo *saber*

- Lee y contesta.

La Srta. López es peruana y nos habló de su país. **Sabe** mucho acerca de la llama.

¿Qué **sabes** tú acerca de la llama?

¿**Sabes** qué otros animales se parecen a la llama?

APRENDE

La forma *yo* del verbo *saber* es irregular en el presente. Las demás formas son regulares.

(yo)	sé	(nosotros, –as)	sab**emos**
(tú)	sab**es**		
(él, ella)	sab**e**	(ellos, ellas)	sab**en**
(usted)	sab**e**	(ustedes)	sab**en**

Observa que la forma *sé* se escribe con acento sobre la *e*. El acento ortográfico sirve para indicar que la palabra es la forma verbal y no el pronombre reflexivo *se*.

Ejemplo:
Sé que la alpaca es parecida a la llama.
¿Cómo **se** llaman las montañas de Perú?

El verbo *conocer*

- Lee y contesta.

El papá de María **conoce** muchos países porque viaja mucho.

¿Qué países **conoces** tú?
¿**Conoces** bien el lugar donde vives?

APRENDE

La forma *yo* del verbo *conocer* es irregular en el presente. Esta forma lleva una *z* antes de la terminación *–cer*. Las demás formas son regulares.

(yo)	conozco	(nosotros, –as)	conocemos
(tú)	conoces		
(él, ella)	conoce	(ellos, ellas)	conocen
(usted)	conoce	(ustedes)	conocen

La llamada *a* personal se usa con el verbo *conocer* cuando lleva un complemento directo que se refiere a personas.

Ejemplos:
Conozco todos los países de Suramérica.
Conozco a alguien que es de Panamá.

Los usos de *saber* y *conocer*

- Lee y contesta.

Todos **sabemos** que existen muchos animales.
Los que **conocemos** bien son pocos.

¿Qué quiere decir la palabra **sabemos** en inglés?
¿Qué quiere decir la palabra **conocemos**?

APRENDE

Los verbos *conocer* y *saber* significan *to know*, en inglés. Aunque tienen el mismo significado, sus usos son distintos en español.

Saber se usa para expresar que uno tiene información o datos sobre alguien o algo.

Ejemplos: **Sé** que Manuel es de Puerto Rico.   *I know that Manuel is from Puerto Rico.*
¿**Saben** cuánto cuesta el pasaje en bus?   *Do you know how much the bus ticket costs?*
El maestro **sabe** mucho de historia.   *The teacher knows a lot of history.*

La construcción *saber* + infinitivo se usa para expresar que uno tiene el conocimiento o la habilidad para hacer algo.

Ejemplos: **Sé** arreglar computadoras.   *I know how to fix computers.*
¿**Sabes** pintar paisajes?   *Do you know how to paint landscapes?*

Conocer se usa para expresar que uno está familiarizado con alguien o algo, o tener conocimiento de un lugar.

Ejemplos: Mi abuela **conoce** al nuevo director de la escuela.
My grandmother knows (is acquainted with) the new principal.
¿Qué pintores famosos **conoces**?
What famous painters do you know (are you familiar with)?
No **conozco** tu casa nueva.
I don't know your new house (what your new house is like).

RETO

Escribe seis oraciones, tres usando el verbo *saber* y tres usando el verbo *conocer*.

ECOSISTEMAS EN PELIGRO

¿Has visto qué cantidad de paisajes diferentes hay en la Tierra? En cada uno pueden vivir muchos seres: peces, mamíferos, aves, insectos, plantas… En los desiertos crecen cactus que almacenan agua, en los bosques hay una gran variedad de animales.

Todos los seres que viven en la Tierra se necesitan entre sí. También necesitan su propio lugar para vivir, porque en él encuentran abrigo y alimento. Esto es lo que llamamos un ecosistema.

Un ecosistema puede ser grande como un desierto, un océano o un bosque. Puede ser pequeño como una laguna o un árbol. Pero en todos hay equilibrio.

Algunas acciones de los seres humanos, afectan el equilibrio de un ecosistema. Por ejemplo, para la salud de los seres humanos, es importante desarrollar campañas para erradicar mosquitos. Pero hay aves que cazan insectos cuando vuelan y necesitan los mosquitos para alimentarse. Si no hay mosquitos, habrá menos aves.

El desequilibrio es peligroso para un ecosistema. El ecosistema acaba por desaparecer. En el bosque natural hay una gran variedad de árboles. El bosque no se acaba si una enfermedad o una plaga de insectos atacan a un tipo de árbol en particular.

Cuando los seres humanos plantan un bosque, no ocurre lo mismo. En este bosque se siembra una especie de árbol que es útil para los seres humanos. De esta especie se obtiene pulpa para hacer papel y madera para hacer casas. Si estos árboles son atacados por una enfermedad o una plaga de insectos, todos los árboles de ese bosque sufren y el bosque se acaba.

El conocido ambientalista mexicano Alejandro Calvillo dice que para comprender el mundo natural,

abrigo protección

laguna lago pequeño

equilibrio estabilidad

erradicar hacer desaparecer

cazan persiguen animales para comer

desequilibrio lo opuesto de equilibrio

plaga gran cantidad de algo

es necesario pensar ecológicamente. El concepto de *ecología*, según lo describe él, se basa en tres *leyes ecológicas* que se aplican a todas las formas de vida:

1. Todas las formas de vida son interdependientes.

2. La estabilidad o seguridad de los ecosistemas depende de la diversidad.

3. Todas las materias primas (tales como alimentos básicos, agua, aire y minerales) son limitadas y existen límites en el crecimiento de todos los sistemas vivos.

interdependientes que se necesitan unas a otras

diversidad variedad

Todos los seres humanos podemos hacer algo para conservar los recursos, las plantas y los animales de la Tierra. Debemos ayudar a crear más reservas y parques nacionales. Debemos reciclar el papel, el vidrio y otros materiales que tiramos a la basura. ¿Qué otras ideas tienes tú?

reservas áreas designadas para proteger plantas y animales

1. ¿Qué enseña el texto que leíste?

   a. Que los animales son seres vivos pero las plantas no.

   b. Que unos seres vivos son más necesarios que otros.

   c. Que los seres vivos se necesitan unos a otros.

2. ¿Qué propósito tiene esta lectura?

   a. Entretener.

   b. Informar.

   c. Enseñar cómo plantar un bosque.

3. ¿Por qué es peligroso para un ecosistema no estar en equilibrio?

   a. Puede desaparecer.

   b. Puede ser reciclado.

   c. Puede convertirse en alimento para las aves.

4. Marca el dibujo que no muestra un ser vivo.

a.    b.    c.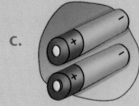

5. Marca la oración que indica una manera de conservar los recursos naturales.

   a. Debemos tirar a la basura todo lo que no necesitamos.

   b. Debemos reciclar el papel.

   c. Debemos visitar un parque nacional cada vez que salimos de vacaciones.

6. ¿Qué crees que puede pasar si cada día hay menos bosques en la Tierra?

ACTIVIDAD

- Haz una lista de los materiales que se reciclan en tu escuela. Si no se recicla nada, reúnete con un compañero o compañera para hacer un plan de cómo reciclar en tu escuela.

Escribir sobre aspectos geográficos

1. Lee el artículo qué escribió Mario para el periódico de su escuela. Mario es peruano y escribió acerca de su país.

Las regiones del Perú

¿Saben ustedes que mi país, el Perú, es dos veces mayor que el estado de Texas? Después de México y Argentina, mi país es el más grande de los países de habla hispana de las Américas.

En mi país hay tres regiones principales: la costa, la montaña y la selva tropical. Nosotros le llamamos *sierra* a la región montañosa y *montaña* a la región de la selva tropical. Es confuso, ¿verdad? Las tres regiones se extienden paralelamente de norte a sur.

En la costa de mi país casi no llueve. El agua de los pequeños ríos que bajan de las montañas se usan para irrigar plantaciones.

La sierra, o sea, la región montañosa, ocupa la mayor parte del área de mi país. En esta parte del Perú se encuentra una cadena montañosa impresionante. La llamamos Cordillera Blanca. Estas cumbres siempre están cubiertas de nieve.

La región húmeda está en el este del Perú. ¿Sabían ustedes que en esta región nace el famoso río Amazonas, que atraviesa Brasil y desemboca en el Océano Atlántico?

Mi país es fantástico. Con lo poquito que les he contado, estoy seguro que lo quieren conocer.

2. Para hacer una descripción del aspecto físico de un país o un estado, debes pensar en escribir un texto informativo. Recuerda que la información se debe presentar en forma clara y ordenada.

a. ¿Con qué país o estado estás familiarizado? Puedes escribir también acerca del estado donde vives.

b. ¿Qué datos interesantes podrías mencionar?

c. ¿Dónde podrías confirmar lo que sabes sobre el país o estado y obtener más información?

3. Escribe un artículo sobre la geografía de un país o estado. Sigue estos pasos:

Primer paso: El plan

Decide sobre qué estado o país vas a escribir. Anota lo que ya sabes acerca de ese estado o país. Luego consulta fuentes de información para confirmar lo que sabes y añadir más datos si crees que es necesario.

Organiza tus notas en un cuadro como el siguiente:

País o estado:	
Regiones en que está dividido:	
Datos generales:	Datos generales sobre cada región: ....

Segundo paso: El borrador

Confirma que has anotado algún dato interesante sobre el país o estado en general y sobre cada región. Si necesitas añadir algo, hazlo. Luego escribe un borrador de tu descripción. Comienza con un párrafo general. Escribe acerca de cada región en párrafos separados. Luego escribe tus preguntas y respuestas. Al final escribe una conclusión, como en el ejemplo.

Tercer paso: La revisión

Revisa tu borrador. Léelo en voz baja y presta atención a las ideas que has escrito. Haz los cambios que creas necesarios. Luego intercambia tu escrito con un compañero o compañera y pregúntale qué sugerencias tiene sobre tu trabajo. Revisen cada uno el trabajo del otro. Presten atención a aspectos como los siguientes:

- ¿Está presentado el tema de manera que interesa al lector?
- ¿Están las ideas presentadas en un orden lógico?
- ¿Usas demasiado la palabra *y* en tus oraciones? ¿Separaste las oraciones con puntos?
- ¿Hay en cada párrafo una idea principal y el primer renglón empieza más adentro?
- ¿Están bien los tiempos verbales y la concordancia de género (masculino o femenino) y número (singular o plural)?
- ¿Está correcta la ortografía, el uso de letras mayúsculas y la puntuación?

Cuarto paso: La presentación

Haz los cambios necesarios y pasa en limpio tu escrito. No olvides el título. Si quieres puedes añadir un mapa del país. Comparte y presenta tu trabajo según te lo indique tu maestro o maestra.

Juegos y cuentos tradicionales

En esta unidad vas a:

- hacer y jugar con un tangram.

- usar palabras que se refieren a los elementos de un cuento.

- aprender a reconocer sufijos.

- aprender a usar diminutivos y aumentativos.

- leer un cuento tradicional de una princesa y un príncipe.

- escribir un cuento corto con problema y solución.

El tangram chino

El tangram es un juego chino muy antiguo. Es un rompecabezas que tiene siete piezas. Las piezas se obtienen cuando divides un cuadrado como se muestra.

Con este juego puedes reproducir diferentes figuras que se reconocen por su contorno. Puedes hacer figuras geométricas tales como triángulos, rectángulos, cuadrados y paralelogramos. Pero el verdadero reto está en hacer figuras de personas, animales y objetos usando las siete piezas, ni más, ni menos.

Reúnete con un compañero o una compañera para hacer un tangram y luego jugar. Para hacer el tangram necesitan un pedazo de cartulina de color, una regla, un lápiz y unas tijeras.

- Tracen un cuadrado de 8 pulgadas en cada lado. Marquen la mitad de cada línea.

- Tracen una línea diagonal, de extremo a extremo. Marquen la mitad de la línea trazada y luego hagan otra marca en cada mitad.

- Tracen todas las líneas mostradas en el siguiente dibujo.

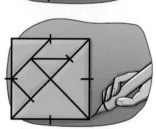

contorno orilla o borde de un dibujo

extremo punta

158

- Recorten por las líneas trazadas.
  ¿Cómo se llaman las figuras que se formaron?

¡Ahora, a jugar! Traten de armar las siguientes figuras usando las siete piezas de su tangram.

Conversemos

¿Te gusta armar rompecabezas?

Sí, me encanta.

No, me parece aburridísimo.

Estoy pensando en algo

pequeñito.

grandote.

Adivina qué es.

¿Qué juegos de mesa te gustan?

El ajedrez.

Las damas chinas.

Ninguno. Prefiero…

¿Qué cuentos te gusta leer?

Los de ciencia ficción.

Los de personajes reales.

Los de príncipes y princesas.

Los de gigantes o duendes.

…

Los cuentos tradicionales

Los personajes

la princesa

el príncipe

el gigante

el duende

El lugar

un castillo

un palacio

una cueva

un bosque

Las partes del argumento

Los sucesos

El punto culminante

El último suceso

El final

El principio

Las conjunciones *y, e, o, y u*

- Lee en voz alta.

El gigante Gabriel **y** la princesa Isabel son amigos.
Gabriel **e** Isabel juegan a las damas.

¿Quiénes juegan a las damas?

APRENDE

Y, e, o y *u* son palabras llamadas *conjunciones*. Sirven para unir oraciones, frases y palabras. Cuando la palabra antes de la conjunción comienza con el sonido /i/ representado por *i, hi*, se usa *e* en vez de *y*. Y cuando la palabra antes de la conjunción comienza con el sonido /o/ representado por *o, ho*, se usa *u* en vez de *o*.

Ejemplos:

El gigante estaba triste y aburrido.
La princesa era buena e inteligente.
Iremos de vacaciones a San Antonio y Nueva York.
Yo quiero ir a San Antonio u Orlando.

RETO Escribe cuatro oraciones usando una conjunción diferente en cada una.

Los sufijos

- Lee y contesta.

Tomás siempre está **pensando** en Alicia.

Ella vive en sus **pensamientos**.

¿Cómo se dice *pensamiento* en inglés?

APRENDE

Los sufijos son terminaciones que se añaden al final de una palabra para formar otras relacionadas a la palabra original. Reconocer sufijos en palabras desconocidas ayuda a comprender su significado. Fíjate en cómo se crean nuevas palabras al usar algunos sufijos.

- Con los sufijos –*amiento*, –*imiento* se crean sustantivos derivados de verbos.

Ejemplos:

pensar	+ *amiento* =	pensamiento		conocer	+ *imiento* =	conocimiento
asentar		asentamiento		sentir		sentimiento
				descubrir		descubrimiento

- Con los sufijos –*osa*, –*oso* se crean adjetivos derivados de sustantivos.

Ejemplos:

pereza		perezoso, perezosa
montaña		montañoso, montañosa
número	+ –*oso*, –*osa* =	numeroso, numerosa
poder		poderoso, poderosa
fama		famoso, famosa

RETO Escribe cinco oraciones usando palabras derivadas.

Sufijos que expresan tamaño e intensidad

- Lee y contesta.

Un gigante y un duende
se encontraron un día.

El gigante era grande,
grandote, grandísimo.

El duende era pequeño,
pequeñito, pequeñísimo.

¿Cómo era el gigante?

¿Cómo era el duende?

APRENDE

- Con los sufijos –ito, –ita y –cito, –cita se forman palabras como *carrito*, *pequeñito* y *cuentecito*. Estos sufijos se llaman diminutivos porque sirven para expresar menor tamaño o intensidad. Los diminutivos también se usan para expresar afecto.

Ejemplos:

¿Quieres un pedazo de pastel?
Sólo un **pedacito**, por favor.

¡Saca al perro de la cocina!
Ven, mi **perrito** lindo, ven.

- Con los sufijos –ote, –ota y –ón, –ona se forman palabras como *carrote*, *grandote* y *casona*. Estos sufijos se llaman aumentativos porque sirven para expresar mayor tamaño o intensidad.

Ejemplos:

Ese **pedazote** de pastel no es para mí, ¿verdad?
¡Cómo has crecido! Ya eres un **hombrón**.

- Con los sufijos –ísimo, –ísima se forman palabras como *buenísimo*, *grandísima*, y *lindísima*. Estos sufijos se llaman superlativos porque expresan el grado máximo de una característica o cualidad.

Ejemplos:

El río Amazonas es **larguísimo**.
El tangram es un juego **dificilísimo**.

Escribe seis oraciones: dos usando diminutivos, dos usando aumentativos y dos usando superlativos.

Una prueba de ingenio

ingenio inteligencia y habilidad para inventar cosas

rechazaba no quería

pretendientes hombres que quieran casarse

alteza título que se usa con los hijos de los reyes

eres capaz puedes

afligido muy triste

disminuyó se hizo más pequeño

encantada muy contenta

estanque

Esta historia ocurrió hace mucho, mucho tiempo, en un lejano país. Allí vivía una princesa que rechazaba, uno tras otro, a todos sus pretendientes. Nobles y príncipes iban al palacio a pedir su mano, pero ella siempre les daba alguna excusa.

La verdad era que... ¡a todos los encontraba aburridísimos!

Un día, cansada de atender a sus pretendientes, la joven tuvo una idea.

"Les pediré una prueba imposible", pensó. "A ver si así ya no me molestan".

Días más tarde apareció por el palacio un caballero que vino a pedir la mano de la princesa. Ella le dijo:

—Yo sólo me casaré con quien pueda hacer un agujero en el agua.

—¡Pero, alteza! —exclamó sorprendido el caballero—. Eso es imposible.

—Si no eres capaz, no me casaré contigo —contestó ella muy firme.

El caballero se marchó de allí afligido. Pronto corrió la noticia de que la princesa pedía algo imposible a quien quisiera ser su esposo. Así que, poco a poco, disminuyó el número de pretendientes que aparecían en el palacio. La joven estaba encantada.

Algún tiempo después, la princesa recibió la visita de un nuevo pretendiente. Ocurrió una tarde de verano mientras ella paseaba junto al estanque del palacio. Allí llegó un joven príncipe de un reino lejano. Cuando él le contó que quería ser su esposo, ella le respondió lo de siempre:

—Yo sólo me casaré con quien pueda hacer un agujero en el agua.

El príncipe se quedó en silencio un instante, y luego dijo:

—Muy bien. Sólo necesito tiempo. Nos volveremos a ver aquí dentro de seis meses. Y haré lo que me pides.

La princesa aceptó, aunque se quedó muy sorprendida por la inesperada respuesta del príncipe.

Pasó el tiempo y, por fin, llegó el día señalado. Los dos jóvenes se encontraron otra vez en el estanque. Como era invierno, sus aguas se habían helado. Después de saludar a la princesa, el príncipe golpeó la superficie del estanque con un bastón. No ocurrió nada. La princesa lo observaba extrañada. El príncipe volvió a dar un golpe con más fuerza y el hielo se rompió. Entonces el joven dijo:

—Ahí tienes, alteza, tu agujero en el agua. ¿Es lo que querías?

Ella se maravilló del ingenio del príncipe y, desde aquel día, los dos se hicieron inseparables. La princesa dejó de aburrirse y ya no quería estar sola. Por fin, con la llegada de las primeras mariposas, se celebró la boda real.

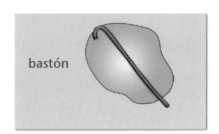

bastón

Cuento popular

1. ¿Quiénes son los personajes principales de este cuento?

   a. Una princesa cansada y un príncipe ingenioso.

   b. Una princesa que no quería casarse y su padre.

   c. Nobles y príncipes que pedían la mano de la princesa.

2. ¿Por qué empezaron a llegar menos pretendientes?
   Porque...

   a. la princesa empezó a caminar por el estanque.

   b. la princesa pedía una prueba imposible.

   c. la princesa estaba aburrida.

3. Marca la imagen que representa estar *afligido*.

   a.    b.    c.

4. ¿Qué idea tenía el príncipe cuando dijo: "Sólo necesito tiempo"?

   a. Quería volver a ver a la princesa.

   b. Quería esperar a que llegara el frío.

   c. Quería buscar su bastón.

5. ¿Por qué la princesa decidió casarse con el príncipe?

   a. Él era de un reino lejano.

   b. El trajo la primavera.

   c. El demostró ser ingenioso.

6. ¿Hizo el príncipe, de verdad, un agujero en el agua?

   a. No, porque sólo rompió el hielo con un bastón.

   b. Puede ser, porque debajo del hielo había agua.

   c. Sí, porque el hielo es agua congelada.

ACTIVIDAD

• En el cuento que leíste hay un problema y una solución.
Cuéntale a un compañero o compañera el problema. Pídele
a él o ella contar la solución.

Escribir un cuento con problema y solución

1. Lee el cuento de Verónica sobre cómo una niña resolvió un problema.

LA NIÑA Y EL MANGO

Éste es un cuento que me contaba mi abuela. Dice así:

En un pueblito cerca de un bosque con muchos animales y árboles frutales vivía una niña a quien le gustaban mucho los mangos. Un día al regresar de la escuela, descubrió el primer mango de la temporada en el árbol de mango frente a su casa.

"Qué delicia," pensó la niña. "¡Pero, cómo hago para bajarlo? Está muy alto."

La niña entró a su casa a ver quién la ayudaba, pero su mamá le dijo que esperara a su papá. Entonces, la niña pensó que si encontraba una escalera, ella podía bajar el mango. Buscó una por toda su casa pero sólo encontró una muy cortita.

La niña decidió salir a la calle a esperar a su papá. En eso estaba, cuando vio un mono subido en el árbol de mango. De pronto, tuvo un pensamiento. Ella sabía que a los monos les gusta imitar lo que hacen las personas. Inmediatamente, la niña tomó una piedrita del suelo y se la tiró al mono. El mono buscó algo para tirarle a la niña. Agarró el mango y lo tiró hacia ella.

2. Hay muchos cuentos que tratan de cómo un personaje resuelve un problema que tiene. Piensa en una idea para escribir un cuento de este tipo.

a. ¿Qué cuentos recuerdas? ¿Hay alguno con problema y solución?

b. ¿Puedes escribir con tus propias palabras cómo es ese cuento?

c. ¿Prefieres escribir sobre una experiencia personal en la que tuviste que resolver un problema?

3. Escribe un cuento con problema y solución. Sigue estos pasos:

Primer paso: El plan

Desarrolla una idea. Piensa en un problema que alguien pueda tener y cómo resolverlo de una manera interesante o inesperada. Tus personajes pueden ser reales o imaginarios, como un duende o un gigante. Recordar un cuento o una experiencia personal te puede ayudar a desarrollar tu idea.

Organiza los detalles de tu idea en un cuadro con preguntas como las siguientes:

¿Quién es el personaje?	¿Cómo trata de resolverlo? ....
¿Cuál es su problema?	¿Cuál es la solución? ....

Segundo paso: El borrador

Confirma que has anotado detalles interesantes y lógicos para escribir tu cuento. Si necesitas añadir o cambiar algo, hazlo. Luego escribe un borrador de tu cuento. Comienza con la presentación de tu personaje y su problema. Continúa contando cómo el personaje trata de resolver el problema hasta llegar a la solución.

Tercer paso: La revisión

Revisa tu borrador. Léelo en voz baja y presta atención a los detalles que has escrito. Haz los cambios que creas necesarios. Luego intercambia tu cuento con un compañero o compañera y pregúntale qué sugerencias tiene sobre tu trabajo. Revisen cada uno el trabajo del otro. Presten atención a aspectos como los siguientes:

* ¿Está presentado el tema de manera que interesa al lector?
* ¿Están las ideas presentadas en un orden lógico?
* ¿Usas demasiado la palabra *y* en tus oraciones? ¿Separaste las oraciones con puntos?
* ¿Hay en cada párrafo una idea principal y el primer renglón empieza más adentro?
* ¿Están bien los tiempos verbales y la concordancia de género (masculino o femenino) y número (singular o plural)?
* ¿Está correcta la ortografía, el uso de letras mayúsculas y la puntuación?

Cuarto paso: La presentación

Haz los cambios necesarios y pasa en limpio tu cuento. No olvides el título. Comparte y presenta tu trabajo según te lo indique tu maestro o maestra.

Arte y estilo

En esta unidad vas a:

- leer un poema sobre cómo pintar un paisaje.

- usar preposiciones.

- aprender el pretérito perfecto compuesto y cómo se forma el participio.

- leer acerca de dos pintores españoles y comentar una muestra de su obra.

- describir una pintura.

Cómo se dibuja un paisaje

paisaje vista de un lugar o del campo

modo manera

molino

espejo

marrón de color café o carmelita

colorado rojo

Un paisaje que tenga de todo,
se dibuja de este modo:

Unas montañas,
un pino, arriba el Sol,
abajo un camino,
una vaca,
un campesino,
unas flores,
un molino,
la gallina y un conejo
y cerca un lago como un espejo.

Ahora tú pon los colores:
la montaña en marrón
el astro Sol amarillo,
colorado el campesino,
el pino verde,
el lago azul,

—porque es espejo del cielo como tú—,
la vaca de color vaca,
de color gris el conejo, las flores...
como tú quieras las flores,
de tu caja de pinturas,
¡usa todos los colores!

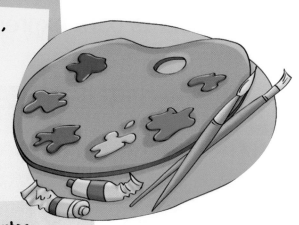

Gloria Fuertes

Conversemos

¿Te gusta pintar? ¿Qué pintas?

Sí, pinto…

No, no me gusta pintar.

¿Qué obras de pintores famosos has visto en libros o en museos?

He visto…

No he visto ninguna.

¿Qué museo de arte has visitado o te gustaría visitar?

He visitado…

Me gustaría visitar…

Si fueras pintor o pintora,

¿pintarías lo que ves o lo que te imaginas? ¿Por qué?

Pintaría…

Palabras para expresar la posición

arriba una nube
y abajo una hormiga

un pez dentro
y uno fuera

una vaca cerca
y un caballo lejos

un perro debajo
y una gata encima

el mar enfrente y las casas detrás

Sinónimos y antónimos

- Lee en voz alta.

Qué lindo es el verano.
Qué hermoso es ver el Sol
aparecer temprano,
desaparecer tarde.

¿Qué palabras significan *bonito*?

¿Qué palabras tienen significados opuestos?

APRENDE

- Las palabras se pueden relacionar según su significado. Son *sinónimas* cuando tienen significados iguales o muy parecidos. Son *antónimas* cuando tienen significados opuestos o contrarios.

- Las palabras sinónimas se deben usar para ser más exactos cuando hablamos o escribimos. Por ejemplo, observa el uso de los sinónimos *viejo*, *antiguo* y *anciano*.

  Tengo un carro **viejo** que no funciona bien.
  Los muebles de mi casa son **antiguos** y valen mucho.
  Las personas **ancianas** han visto muchos cambios durante su vida.

- Algunas palabras antónimas se forman usando prefijos. Los prefijos son letras o sílabas que se agregan al principio de una palabra. Los prefijos *a–*, *i–*, *des–*, *in–* e *im–* hacen contrario el significado de las palabras a las que se añaden.

  Ejemplos: normal–**a**normal, hacer–**des**hacer, formal–**in**formal, posible–**im**posible

RETO Escribe dos oraciones con los sinónimos *árido* y *seco* y dos usando los antónimos *claro* y *oscuro*.

173

El pretérito perfecto compuesto y el participio

- Lee y contesta.

María **ha pintado** unas flores.

Rubén **ha escrito** algo.

¿Qué ha pintado María?

¿Qué ha escrito Rubén?

¿Cuáles son las formas verbales en cada oración?

APRENDE

Has aprendido a usar el pretérito perfecto para expresar acciones en el pasado, por ejemplo: *Pinté un paisaje.* Hay otra forma que también se llama pretérito perfecto, pero es compuesto porque tiene dos palabras.

Para formar el **pretérito perfecto compuesto** se conjuga el verbo auxiliar *haber* en el presente y se le añade un participio. El participio es como el infinitivo, una forma verbal que no varía. Fíjate en el pretérito perfecto compuesto del verbo *pintar*.

(yo)	he pintado	(nosotros, –as)	hemos pintado
(tú)	has pintado		
(él, ella)	ha pintado	(ellos, ellas)	han pintado
(usted)	ha pintado	(ustedes)	han pintado

El **participio** se forma agregando las terminaciones *–ado* o *–ido* a la raíz del verbo. A los verbos con infinitivos en *–ar* se agrega *–ado* y a los verbos terminados en *–er* o *–ir* se agrega *–ido*.

hablar	*comer*	*vivir*
hablado	comido	vivido

El **pretérito perfecto compuesto** se usa para expresar un acción pasada que tiene relación con el presente.

Ejemplos:

¿Has terminado la tarea, o necesitas más tiempo?

Hemos tenido muchos problemas con el carro nuevo.

Han abierto un restaurante mexicano frente a mi casa.

Algunos verbos que conoces tienen participios irregulares.

infinitivo	participio	infinitivo	participio
abrir	abierto	morir	muerto
decir	dicho	poner	puesto
escribir	escrito	ver	visto
hacer	hecho	volver	vuelto

Observa que la forma verbal *ha* se escribe con *h*. Si no la escribes con *h*, estás escribiendo la preposición *a*.

Ejemplos:
José Luis fue **a** México.
José Luis **ha** ido a México.

Escribe las formas de pretérito perfecto compuesto de los verbos *comprender* y *escribir*.

Expresar el tiempo que ha pasado

- Lee y contesta.

De paseo hace 60 años.

¿Cuántos años hace que la gente paseaba así?

El tiempo que ha pasado desde una fecha anterior se expresa con la forma verbal *hace* más una expresión de tiempo.

Hace + expresión de tiempo + *que* + verbo en presente expresa una condición que empezó en el pasado y continúa. En inglés representa una construcción con la palabra *for* + una expresión de tiempo.

Ejemplo:
Hace tres años que vivo en este barrio.   *I have lived in this barrio for three years.*

Hace + expresión de tiempo + *que* + verbo en pretérito expresa una condición que empezó y terminó en el pasado. En inglés representa una expresión de tiempo + la palabra *ago*.

Ejemplo:
Hace un año que fui a España.   *I went to Spain a year ago.*

Escribe una oración que exprese cuánto tiempo has estudiado español.

Dos muestras de pintura española

Francisco Goya (1746-1828)

siglo dieciocho período de
1701 a 1800

cuadros pinturas

tapices

En las últimas décadas del siglo dieciocho, un gran pintor trabajaba para la corte española en Madrid. Su nombre era Francisco Goya. Este pintor hacía retratos de reyes y nobles, y pintaba cuadros sobre cartón. Estos cuadros se usaban como modelos para hacer tapices. Los tapices adornaban las paredes de los palacios.

En sus cartones Goya pintaba escenas decorativas que mostraban las costumbres populares de entonces. Pintaba gente que se divertía o que salía de paseo. Los colores eran fuertes y vivos.

Años más tarde, los franceses invadieron España. Entonces Goya pintó otros cuadros también con colores fuertes y vivos. Pero ahora sus cuadros eran para mostrar el horror de la guerra y denunciar la invasión.

posando manteniendo
una postura mientras
son pintados

Éste es uno de los muchos cartones que pintó Goya. Se llama *El quitasol*. ¿Crees que Goya pintó este cuadro con los personajes posando? Por los árboles que hay detrás de la pareja, ¿dónde crees que están? ¿Para qué crees que Goya usó la sombrilla?

Joaquín Sorolla (1863-1923)

Hay gente que dice que los pintores ya nacen así. Desde que son niños, asombran a los mayores con su talento. Joaquín Sorolla fue uno de esos niños. A los 11 años sorprendía a todos con su talento y antes de cumplir los 20 ya había hecho exposiciones.

Sorolla fue un pintor impresionista de las últimas décadas del siglo diecinueve y las primeras del veinte. Los impresionistas fueron pintores que se rebelaron contra la manera clásica de pintar. Lo importante para los impresionistas era captar la luz en los objetos y las personas.

A los impresionistas les gustaba pintar al aire libre, bajo la luz del sol. Así podían representar las sombras y los reflejos causados por la luz solar. Muchas de sus obras son paisajes con personas en parques o en lugares donde hay agua.

Este cuadro de Sorolla se llama *Niñas en la playa*. Las pinceladas son rápidas y largas. ¿Crees que Sorolla pintó este cuadro estando en la playa? ¿Te hace sentir que tú también estás allí? ¿Por qué será que la niña se sostiene el sombrero?

asombran causan asombro, sorpresa

clásica estudiada, tradicional

al aire libre afuera en el campo, en los espacios abiertos

sombras

pinceladas movimientos del pincel

1. ¿Quién vivió antes, Goya o Sorolla?

    a. Sorolla.

    b. Los dos vivieron en el mismo siglo.

    c. Goya.

2. Algunos temas que pintó Goya fueron…

    a. la guerra y la playa.

    b. las costumbres populares y la guerra.

    c. la playa y el sol.

3. En el contexto de esta lectura, las palabras *cuadro* y *pintura* son…

    a. sinónimos.

    b. antónimos.

    c. participios.

4. ¿Qué diferencia hay entre las palabras *década* y *siglo*?

    a. Ninguna. *Siglo* y *década* son sinónimos.

    b. *Siglo* es un período de cien años y *década* es un período de diez años.

    c. *Siglo* se usa para hablar de Goya y *década* se usa para hablar de Sorolla.

5. ¿De qué estilo son las pinturas de Sorolla?

    a. Costumbrista.

    b. Decorativo.

    c. Impresionista.

6. ¿Por qué la luz del sol era importante para los impresionistas?

    a. Porque querían pintar los efectos de la luz del sol en el paisaje.

    b. Porque necesitaban el calor del sol.

    c. Porque los colores eran más fuertes bajo en sol.

7. ¿Qué museo o galería de arte has visitado? ¿Qué has visto allí?

ACTIVIDAD

- Haz una pintura de algo o alguien que es especial para ti. Después, presenta tu obra a tu clase.

Describir una pintura

1. Cecil y su clase visitaron una exposición de pinturas. Lee este comentario que escribió después.

"ATARDECER EN LA PLAYA"

Esta mañana visitamos una exposición de arte en el Museo de Arte Moderno. Los cuadros presentados eran de retratos y paisajes. La maestra nos pidió observar uno que nos gustara y comentar sobre él.

A mí me gustó un paisaje llamado "Atardecer en la playa". Era una puesta de sol. Al fondo se veía el sol desaparecer en el horizonte. Arriba, unas nubes rosadas y anaranjadas llenaban el cielo. Sobre el mar, dos barcos de vela se acercaban a la playa. A la derecha, el mar chocaba contra las rocas. En la playa no había nadie.

Este cuadro lo pintó una pintora que vivió en un pueblo junto al mar. Lo pintó en un estilo realista, usando los mismos colores que vemos cuando atardece.

Después de observar la pintura, me sentí muy feliz. Pensé que al final de cada día todos debemos tomar unos minutos para observar la belleza de la naturaleza.

---

2. Podemos describir una pintura de la misma manera que describimos un lugar o a una persona.

   a. ¿Hay una pintura en tu escuela, tu casa o tu comunidad que es especial?
   b. ¿Hay un museo o galería para visitar en tu comunidad?
   c. ¿Quieres escribir sobre una de las pinturas de esta unidad o en algún libro de arte?

3. Escribe un comentario sobre una pintura. Sigue estos pasos:

Primer paso: El plan
Escoge la pintura. Pregúntate qué es lo que más te atrae de ella. ¿Son los colores, el tema, el estilo? Piensa en qué orden la vas a describir: ¿de arriba a abajo, del fondo hacia el frente, de izquierda a derecha? Si quieres, puedes investigar detalles de la vida del pintor o la pintora para entender mejor su obra.

Organiza tus notas en un cuadro como el siguiente.

Título de la pintura:	
¿Qué muestra?	**¿Cómo lo muestra?** .... **¿Qué te hace sentir?** ....
Detalles sobre la vida del artista que tienen que ver con la obra:...	

Segundo paso: El borrador
Confirma que has anotado suficiente información. Si necesitas añadir algo, hazlo. Luego escribe un borrador de tu comentario. Comienza con un párrafo que diga dónde viste la pintura. Luego escribe sobre el tema y el estilo de la pintura en párrafos aparte. En el párrafo final describe tu reacción a la pintura, como en el ejemplo.

Tercer paso: La revisión
Revisa tu borrador. Léelo en voz baja y presta atención a los detalles que has escrito. Haz los cambios que creas necesarios. Luego intercambia tu cuento con un compañero o compañera y pregúntale qué sugerencias tiene sobre tu trabajo. Revisen cada uno el trabajo del otro. Presten atención a aspectos como los siguientes:

- ¿Está presentado el tema de manera que interesa al lector?
- ¿Están las ideas presentadas en un orden lógico?
- ¿Usas demasiado la palabra *y* en tus oraciones? ¿Separaste las oraciones con puntos?
- ¿Hay en cada párrafo una idea principal y el primer renglón empieza más adentro?
- ¿Están bien los tiempos verbales y la concordancia de género (masculino o femenino) y número (singular o plural)?
- ¿Está correcta la ortografía, el uso de letras mayúsculas y la puntuación?

Cuarto paso: La presentación
Haz los cambios necesarios y pasa en limpio tu cuento. No olvides el título. Comparte y presenta tu trabajo según te lo indique tu maestro o maestra.

Vocabulario español-inglés

Vocabulario español-inglés

The following abbreviations have been used:

adj. adjective
adv. adverb
aux. auxiliary
com. command
conj. conjunction
dem. adj. demonstrative adjective
dim. diminutive
f. feminine
fig. figurative
indef. pron. indefinite pronoun
interr. pron. interrogative pronoun
irreg. irregular
m. masculine
pers. d.o. personal direct object
pers. pron. personal pronoun
pl. plural
poss. adj. possessive adjetive
pret. preterit
rel. pron. relative pronoun
s. singular

A

a at, to (*not translated when used before per. d. o.*)
 a puñados by the handful
abierto opened
abierto, –a open
abra *com.* open
abran *com.* open
abrigo coat, shelter
abrir to open
abrirse to clear
absorber to absorb
abuelito, –a *dim.* grandmother, grandfather (*term of endearment*)
abuelo, –a grandfather, grandmother
aburridísimo, –a extremely boring
aburrir to bore, be boring
accidente *m.* accident
acción action
aceite *m.* oil
 aceite de oliva olive oil
acento accent
 acento ortográfico written accent
acerca (de) about
acercaban you (*pl.*), they approached
ácido acid, sour
acompañar to accompany
acostarse (o → ue) *irreg.* to go to bed
actividad activity
acuático, –a aquatic, water
acuerdo agreement
adaptación adaptation
adelante further on
además furthermore
adentro inside, within, inwardly
adivina *com.* guess
adivinar to guess

adivinanza riddle
adivinador, –a guesser
adjetivo adjective
admiración admiration
admirar to admire
adulto *n.* adult
adulto, –a adult
aeropuerto airport
afecto emotion, feeling
afuera outside
agarró you, he, she grabbed
agregar to add
 agregarse to join
agua *m.* water
águila *m.* eagle
agüita *dim.* small amount of water
ahora now
aire *m.* air
ajedrez *m.* chess
ajeno, –a belonging to others
al (a + el) to the, at the, the (*with pers. d. o. noun*)
 al revés upside down
ala *m.* wing
alarma alarm
alboroto uproar
alcalde *m.* mayor
alegre happy
aleta fin
algo something, anything
alguien someone
algún *adj.* (*before m. s. noun*) some, any
alguno, –a *indef. pron.* some, any, someone
alimentarse to feed oneself
alimento food
allá over there, way back
allí there
almacenar to store
almorcé I ate lunch
almorzar (o → ue, z → c) *irreg.* to eat lunch
almuerce *com.* eat lunch
almuerza you eat lunch; he, she, it eats lunch
almuerzan you (*pl.*), they eat lunch
almuerzas you (*s.*) eat lunch
almuerzo I eat lunch
almuerzo lunch
alrededor around
altísimo, –a extremely high
alto, –a high, tall
amable kind
amanecer *m.* dawn
amarillo, –a yellow
ambos, –as both
amigo, –a friend
amistad *f.* friendship
amplio, –a big, wide, spacious
añadir to add
anaranjado, –a orange
ancho, –a wide
anciano, –a old person
andar to walk

anfibio amphibian
anillo ring
año year
anoche last night
anota *com.* write down
anotado noted
anotar to score, to write down
 anotar un gol to score a goal
 anotar una carrera to score a run
anterior previous
antes (de) before
antiguo, –a old
antónimo antonym
anuario trade or professional directory
 anuario deportivo sports directory
aparecer (c →zc) *irreg.* to appear
apartamento apartment
aparte separate
apio celery
apoyo support
aprender to learn
aprobación approval
aprovechar to make use of
apuntado noted, written down
apuntado, –a pointed
aquel *dem. adj.* that (*before m. s. noun*)
aquí here
arácnido arachnid
árbitro umpire, referee
árbol *m.* tree
arder to burn
ardilla squirrel
área *m.* area
árido, –a arid
armar to put together
arqueología archaeology
arqueológico, –a archaeological
arqueólogo, –a archaeologist
arquitecto, –a architect
arquitectura architecture
arreglar to fix
arriba above, upwards
arroz *m.* rice
arte *m.* art
artículo article
artista *m./f.* artist
asegúrate *com.* be sure
así like this, like that
asentamiento settlement
asistente *m./f.* assistant
aspecto appearance
astro celestial body
astronomía astronomy
astrónomo, –a astronomer
atar to tie
atardecer late afternoon, sundown
atención attention
atentamente yours truly, sincerely
aterrizar to land
atleta *m./f.* athlete
atractivo, –a attractive
atraer to attract
atrás ago, behind

atraviesa crosses over
aumentar to add
aumentativo, –a augmentative
aún yet, still
aunque although
aurora dawn
autobús m. bus
auxiliar to help
avanzado advanced
ave m. bird
avena oatmeal
avenida avenue
averiguar to find out
avión m. airplane
aviso ad
 aviso clasificado classified ad
ayer yesterday
ayudar to help
azteca Aztec
azul blue

B

baile m. dance
bajar to descend, go down
 bajarse to get down
bajo under
bajo, –a low
ballena whale
baloncesto basketball game
bañar (a) to bathe
 bañarse to bathe oneself
banco bench, bank
bandera flag
barba beard
barca small boat
barco boat
 barco de vela sailboat
barra bar
barril m. barrel
barrilito little barrel
barrio neighborhood
barrote m. bar
basado based
básico, –a basic
básquetbol m. basketball game
basquetbolista m./f. basketball player
basta enough
bate com. beat
bebé m./f. baby
beber to drink
béisbol m. baseball game
beisbolista m./f. baseball player
belleza beauty
biblioteca library
bicicleta bicycle
bien adv. well
biografía biography
blanco, –a white
boca mouth
boicot m. boycott
bol m. bowl
bola ball, globe
bolsa bag
bombilla electric light bulb
bonito, –a handsome, pretty
borde m. border, edge

borrador m. rough draft
bosque m. wood, forest
bote m. container
brazo arm
brillante bright, shining
buenísimo, –a extremely good
bueno, –a good
buenos días good morning, good day
bufanda scarf
búho owl
busca com. look for
buscar to look for
buscó you, he, she looked for

C

caballo horse
cabello hair
cabeza head
cabra goat
 cabra gruñona billy goat
cactus de barril m. barrel cactus
cactus erizo m. hedgehog cactus
cada each, every
cadena chain
caer irreg. to fall
cafetería cafeteria
caja box
calcio calcium
calculadora calculator
calcularon you (pl.), they calculated
calendario calendar
calentarse to warm up
calentito, –a very warm
calle f. street
calmar to calm
calor m. heat
caloría calorie
cama bed
cambiado changed
cambiar to change
cambio change
caminar to walk
caminen com. walk
camión m. truck
campana bell
campesino, –a farm worker, rural dweller
campo countryside, discipline, playing field
canadiense Canadian
canción song
cangrejo crab
capitán m. captain
capte grasps
caracol m. snail
característica characteristic
caracterizar to characterize
carbohidrato carbohydrate
carita little face
carmelita brown
carne f. meat
carrera home run, race
carrito little cart
carro car
carrote m. large cart

carruaje m. carriage
carta letter
cartulina posterboard
casa house
casi almost
casita little house
caso case
casona large house
castillo castle
catarro cold
catorce fourteen
causa cause
causado, –a caused
cebolla onion
celebración celebration
celebrar to celebrate
centavo cent
centro center
cepillarse to brush one's teeth
cepillo brush
cerca near
cercano, –a near, close by
ceremonia ceremony
cerrado, –a closed
cerrar (e → ie) irreg. to close
césped m. grass, lawn
chaqueta jacket
chileno, –a Chilean
chino, –a Chinese
chiste m. joke
chocaba you, he, she crashed
chofer m. chauffeur
chorrito splash
chorro flow
ciclo cycle
cielo sky
cien hundred
ciencia science
 ciencia ficción science fiction
científico, –a adj. scientific
científico, –a scientist
ciento, –a hundred
cierra com. close
cierto, –a certain
cigüeña stork
cilindro cylinder
cima summit, top
cinco five
cine m. movie, theater
circular to circulate
circulatorio, –a circulatory
ciudad f. city
civilización civilization
claro, –a clear
clase f. type, class, classroom
clasificación classification
clasificado, –a classified
clasificar to classify
clave f. key
clima m. climate
clínica clinic
coche m. car
cocina cooking, kitchen
cocinar to cook
código code
 código postal zip code
codo elbow
cognado cognate

cola line of people, tail
colegio school
colocarse to be placed
colonia colony
colorado, –a pink, reddish
columna column
coma *com.* eat
combate *m.* combat, fight
combinación combination
come *com.* eat
comencé I began
comentar to comment
comentario commentary
comenzado begun
comenzar (e → ie, z → c) *irreg.* to begin
comenzó you, he, she began
comer to eat
comida food, meal
 comida rápida fast food
comido eaten
comienza *com.* begin
comienza you, he, she, it begins
comienzan you (*pl.*), they begin
comienzo beginning
cómo how
como like, as
compañero, –a classmate
comparación comparison
comparativo, –a comparative
comparte *com.* share
compartir to share, show
competencia competition
complemento object
 complemento directo direct object
 complemento indirecto indirect
object
completar to complete
componente *m.* component
composición composition
comprar to buy
comprender to understand
comprensión comprehension
compuesto, –a compound
computadora computer
común common
comunidad community
con with
concepto concept
concha shell
concierto concert
conclusión conclusion
concordancia agreement
concuerda con coincides with
condensación condensation
condición condition
conejo rabbit
conferencia conference
confeti *m.* confetti
confianza confidence
confirmar to confirm
confuso, –a confusing
conjugación conjugation
conjugarse to conjugate
conjunción conjunction
conocer (c → zc) *irreg.* to know, be
acquainted
conocido known
conocimiento knowledge

conozcan you (*pl.*) know
conozco I know
consejo advice
conservar to conserve
consistir to consist
consonante *f.* consonant
construcción construction
consultar to follow, look up in
contaba you, he, she said, told
contaban you (*pl.*), they said, told
contado said, told
contar (o → ue) *irreg.* to say, tell, count
contaste you (*s.*) said, told
conté I counted
contener (e → ie) *irreg.* to contain
contento, –a happy
contesta *com.* answer
contestar to answer
contexto context
contiene it contains
contienen they contain
contigo with you
continúa *com.* continue
continuación continuation
contó you, he, she said, told
contorno outline
contra against
contrario, –a opposite
convencer to convince
conversar to talk
convertir (e → ie) *irreg.* to convert
copa glass
copia *com.* copy
copiar to copy
corazón *m.* heart
cordillera mountain range
correcto, –a correct
correr to run, flow
corresponder to correspond
corrido musical composition
corriente current
cortado cut
cortar to cut
cortito, –a *dim.* very short
corto, –a short
cosa thing
costa coast
crear to create
crecer (c → zc) *irreg.* to grow
crecido grown
creció you, he, she grew
creer to believe
 creer que to think that
crema cream
crepé crepe
crudo, –a raw
crustáceo crustacean
cuaderno workbook
cuadra block
cuadrado square
cuadro frame, painting
cuál *interr. pron.* what
cualquier *ind. adj.* any
cuando *conj.* when
cuánto, –a *interr. adj.* how much
cuarto room
cuarto, –a fourth
cubano, –a Cuban

cubanoamericano, –a Cuban-American
cubeta pail
cubierto, –a covered
cubo pail
cubrir to cover
cuchara spoon
cuenta bank account
cuenta you tell, count; he, she tells,
counts
cuentecito little story
cuento story
cuerpo body
cuesta it costs
cueva cave
cuida *com.* take care of
cuidado care
cuidadoso, –a careful
cuidar to care for, take care
culminante culminating
cultivar to cultivate
cultura culture
cumbre *f.* mountain peak
cumplir to fulfill

D

dado dice
damas chinas Chinese checkers
dance you dance; he, she, it dances
dando giving
daño hurt
danzar to dance
dar *irreg.* to give
dar vueltas to spin
daré I will give
dato fact
datos *pl.* information, facts
de of (*indicating possession*), from,
about, concerning
 de arriba from above
 de esta manera in this way
 de gala in best dress
 de largo in length
 de pronto suddenly
dé it gives
debajo under, underneath
deber + *inf.* to have to, must
decir (e → i) *irreg.* to say, tell
 decía you, he, she said
decidieron you (*pl.*), they decided
decidió you, he, she decided
decisión decision
decorar to decorate
dedicó you, he, she dedicated
dedo finger
defensor, –a defender, protector
dejar to allow, leave
 dejar que to let
dejemos *com.* allow, leave
dejes *com.* allow, leave
del (de + el) of the, from the, about
the, concerning the
delante before, in front of
delgado, –a small, thin
delicia delight
demás other, rest of the
demasiado, –a too much

democracia democracy
demostrar (o → ue) *irreg.* to demonstrate
den *com.* give
dentro inside
denunciar to denounce
departamento department
deporte *m.* sport
 deporte acuático aquatic/water sport
deportista *m./f.* sportsman, sportswoman
deportivo, –a sporty
depósito deposit
derecha right, right side
derivado, –a derived
derivarse to derive, come from
derretido, –a melted
desaparecer to disappear
desayuno breakfast
desconocido, –a unknown
describir to describe
descripción description
descubrimiento discovery
descubrir to discover
desde from
desear to wish
desembocar to empty
deshacer *irreg.* to cut up, undo
deshecho, –a dissolved, well–mixed, destroyed
desierto desert
designar to assign
desnudo, –a naked
despedida farewell, ending
despertador *m.* alarm clock
despierta *com.* wake up
después after
destacado, –a outstanding, prominent
destacarse to stand out
destino destiny
detalle *m.* detail
detrás behind
devolver (o → ue) *irreg.* to return, give back
devolveré I will return
devolviera it would return, give back
devuelva it returns, gives back
di *com.* say
di I gave
día *m.* day
diagrama *m.* diagram
diálogo dialog
diario, –a daily
dibujar to draw
dibujen *com.* draw
dibujo drawing
diccionario dictionary
dice you say, tell; he, she says, tells
dicen you (*pl.*), they say, tell
dices you (*s.*) say, tell
dicho said, told
diente *m.* tooth
diéresis *f.* diaresis
dieta diet
diez ten
diferencia difference
diferenciar to differentiate
diferente different

difícil difficult
dificilísimo, –a extremely difficult
diga *com.* say, tell
digestión *f.* digestion
digestivo, –a digestive
digo I say, tell
dijeron you (*pl.*), they said, tell
dijo you, he, she said, told
diminutivo, –a diminutive
dinero money
dio you, he, she, it gave
diplomacia diplomacy
diplomático, –a diplomat
dirección address
directo, –a direct
director, –a director
dirías you (*s.*) would say
dirige you direct; he, she, it directs
dirigido directed
dirigió you, he, she, it directed
dirigir to direct
dirigirse to speak to
disfrutar to enjoy
distinguir to distinguish
distinto, –a distinct
divertido, –a fun, amusing
dividido divided
dividir to divide
dividirse en to divide into
doblar to fold, turn
doblen *com.* turn
doble double
doce twelve
documental *m.* documentary
dólar *m.* dollar
doler (o → ue) *irreg.* to ache, hurt
dolor *m.* ache, pain
doméstico, –a domestic
dominar to dominate
domingo Sunday
don Don, title of respect
donde *adv.* where
dónde *interr. adv.* where
dormí I slept
dormía you, he, she slept
dormido, –a asleep
dormir (o → ue) *irreg.* to sleep
dormirse (o → ue) *irreg.* to go to sleep
dormiste you (*s.*) slept
dos two
doy I give
dramático, –a dramatic
dramatización dramatization
dramatizar to dramatize, act out
droga drug
ducha shower
duende *m.* elf
dueño, –a owner
duerme you sleep; he, she, it sleeps
duermen you (*pl.*), they sleep
duermes you (*s.*) sleep
duermo I sleep
duración duration
durante during
durar to last
durmieron you (*pl.*), they slept
durmió you, he, she slept
duro, –a hard

E

e and
ecosistema *m.* ecosystem
edificio building
educación education
efecto effect, result
ejemplo example
ejercicio exercise
él he
el *m.* the
electriza you, he, she electrifies
elemento element
elevarse to rise
elige *com.* select
ella she
ellas *f. pl.* they
ellos *m. pl.* they
emoción excitement
empacado, –a packaged
empate *m.* tie
empezar (i → ie) *irreg.* to begin
empezó you, he, she began
empieza it begins
en at, in
 en medio de in the middle of
 en plena in the middle of
 en voz alta aloud
encantar to delight
enciclopedia encyclopedia
enciende you, he, she turns on
encima on top
encontraba you, he, she found
encontrar (o → ue) *irreg.* to find
encontrarás you (*s.*) will find
encontraron you (*pl.*), they found
encontraste you (*s.*) found
encontré I found
encontró you, he, she found
encuentra you find; he, she, it finds
encuentran you (*pl.*), they find
encuentras you (*s.*) find
encuentro I find
energía energy
enfermedad illness, sickness
enfermo, –a sick
enfrente in front
enfriar to cool off
enfriarse to cool down
enrollar to wrap up
ensalada salad
ensayan you (*pl.*), they rehearse
ensayo essay, rehearsal
enseñar to teach, show
entender (e → ie) *irreg.* to understand
entendí I understood
entendía you, he, she understood
entendiste you (*s.*) understood
entero, –a entire, whole
entiende you understand; he, she, it understands
entienden you (*pl.*), they understand
entiendes you (*s.*) understand
entiendo I understand
entonces then
entrar to enter
entre between
entregarse a to dedicate oneself to

entrenar to train
entretenerse (e → ie) *irreg.* to amuse oneself
entrevista interview
entrevistado, –a interviewed
entrevistador, –a interviewer
entrevistar to interview
envuelve *com.* wrap up
equipo team
era you were; he, she, it was
eran you (*pl.*), they were
eras you (*s.*) were
erizo hedgehog
 erizo de mar sea urchin
es you are; he, she, it is
escalera ladder
escama fish scale
escenario stage
escoger (g → j) to choose
escolar pertaining to school
esconder to hide
escondido, –a hidden
escriba *com.* (*formal*) you (*s.*) write
escriban *com.* you (*pl.*) write
escribe *com.* you (*s.*) write
escribir to write
escribirías you (*s.*) would write
escrito writing, document
escrito written
escritor, –a writer
escritura writing
escuela school
ese, –a *dem. adj.* that
esófago esophagus
espalda back
español, –a Spanish
especial special
específico, –a specific
espejo mirror
esperanza hope
esperar to hope, wait
esperara you were waiting; he, she, it was waiting
espina thorn, spine
esqueleto skeleton
esquí *m.* skiing
esquiador, –a skier
esquina corner
está you are; he, she, it is
estaba I, he, she, it was
estaba you were; he, she, it was
estábamos we were
estaban you (*pl.*), they were
estabas you (*s.*) were
estación season
estado state
estadounidense from the United States
están you (*pl.*), they are
estar *irreg.* to be
 estar a dieta to be on a diet
 estar de acuerdo to be in agreement
estarse to remain
estarás you (*s.*) will be
estaré I will be
estás you (*s.*) are
este *m.* east
este, –a *dem. adj.* this
éste, ésta *dem. pron.* this one

estés you (*s.*) are
estilo style
estimado, –a dear
estiró it stretched
estómago stomach
estornudar to sneeze
estos, –as *dem. adj.* these
estoy I am
estrategia strategy
estrella star
estudiado studied
estudiante *m./f.* student
 estudiante de intercambio exchange student
estudiar to study
estudió you, he, she studied
estudios sociales social studies
estuve I was
estuviera I were
estuvieron you (*pl.*), they were
estuvimos we were
estuviste you (*s.*) were
estuvo you were; he, she, it was
etapa step, stage
europeo, –a European
evacuar to evacuate
evaporación evaporation
evaporarse to evaporate
exacto, –a exact
examen *m.* test
examinar to examine
excelente excellent
excepción exception
excepto except
exclamativo, –a exclamatory
excursión excursion
existiera it exists
existir to exist
éxito success
expedición expedition
experiencia experience
explicar to explain
explicó you, he, she explained
exploración exploration
exponer to explain
exposición exhibit, exposition
expresar to express
expresión expression
 expresión idiomática idiomatic expression
expulsar to expel
extendían you (*pl.*), they extended
extiende *com.* spread
extra extra
extraño, –a strange
extremo end

F

fábula fable
fácil easy
fama fame
familia family
familiar relative
familiarizado, –a familiar
famoso, –a famous
fantástico, –a fantastic

fascinaron you (*pl.*), they fascinated
favorito, –a favorite
fecha date
felices *m./f. pl.* happy
felino, –a feline
feliz happy
femenino, –a feminine
feria fair
ficción fiction
fiebre *f.* fever
 fiebre amarilla yellow fever
fiesta party
figura figure
fijarse en to pay attention, notice
fíjate en *com.* pay attention to
filoso, –a sharp
fin *m.* end
 fin de semana weekend
física physics
flor *f.* flower
floreció it flourished
floristería florist shop
fondo front
forma form
formado, –a formed
formar to form
foto *f.* photo
fotografía photograph
fragmento fragment
francés, –esa French
frase *f.* phrase
frente *m.* front
frescura freshness, coolness
frijol *m.* dry bean
frío cold
frío, –a *adj.* cold
frontera border
fruta, –o fruit
frutal fruit
fue you were; he, she, it was
fuente *f.* source
fuera (*if*) I, you, he, she, it went, were
fuera outside
fueran (*if*) you (*pl.*), they went, were
fueras (*if*) you (*s.*) went, were
fueron (*if*) they, you (*pl.*) went, were
fuerte strong, hard, loudly
fuerza force, strength
fui I went, was
fumar to smoke
función function
funcionar to function, work
fusión fusion
fútbol *m.* soccer
futbolista *m./f.* soccer player
futuro future

G

galería gallery
gallina hen
ganado cattle
ganador, –a winner
ganar to win, earn
 ganar un torneo to win a tournament
gánate *com.* earn

ganó you, he, she won
garganta throat
garza heron
gaseoso, –a gaseous
gastar to spend
gato, –a cat
generalmente generally
género gender
gente *f.* people
geografía geography
geográfico, –a geographic
geométrico, –a geometric
geranio geranium
germinar to germinate
gigante *n. m./f.* giant; *adj.* gigantic
gimnasia gymnastics
gimnasio gymnasium
gimnasta *m./f.* gymnast
gira tour, excursion
girasol *m.* sunflower
gloria glory
gol *m.* goal
golosina sweet, tidbit
golpe *m.* blow
gorra cap
gota drop
gotear to drip
grado intensity
gráfica graph
 gráfica de barras bar graph
grama grass, lawn
gran (*before m. s. noun*) large
grande large, great
grandísimo, –a extremely big
grandote huge
grasoso, –a fatty
gripe *f.* influenza
gris gray
grito yell
grueso, –a big, thick
gruñón, –a grouchy
grupo group
guante *m.* glove
guaraguao red-tailed hawk
guardar to keep
guepardo cheetah
guía guide
guión mayor *m.* hyphen
guitarra guitar
gustar to be pleasing, to like
gustaría would like
gusto taste

H

haber *aux.* to have
había there were
habilidad ability, skill
hablado spoke
hablar to speak
hable *com.* speak
hace ago (*in expressions of time*)
hacer *irreg.* to do, make
 hacer cola to form a line
 hacer daño to hurt
 hacer deporte to play sports
 hacer el papel to play the part

hacer frío to be cold
 hacer preguntas to ask questions
hacía you, he, she did, made
hacia toward
hacían you (*pl.*), they did, made
hacías you (*s.*) did, made
hacienda housing, ranch
 hacienda de ganado cattle ranch
haga *com.* do, make
hagan *com. pl.* do, make
 hagan silencio *com.* be quiet
hago I do, make
halcón *m.* hawk
hambre *m.* hunger
hamburguesa hamburger
han you (*pl.*), they have
harías you (*s.*) would do, make
harina flour
has you (*s.*) have
hasta until, up to
hay there is, there are
hayan you (*pl.*), they have
haz *com.* do, make
hecho done, made
helado ice cream
hemos we had
herida wound
hermanito, –a little brother, little sister
hermano, –a brother, sister
hice I did, made
hiciera you, he, she did, made
hicieron you (*pl.*), they, did, made
hiciste you (*s.*), did, made
hidalgo noble
hielo ice
hieras you (*s.*) hurt
hierba grass, lawn
hijo, –a son, daughter
hinchado, –a swollen
hispano, –a Hispanic
historia story, history
histórico, –a historical
hoja leaf
hola hello
hombre *m.* man
hombro shoulder
hombrón *m.* big man
hora hour, time
horizonte *m.* horizon
hormiga ant
hoy today
huelga strike
hueso bone
huevo egg
humano, –a human
húmedo, –a humid

I

iban you (*pl.*), they went
identificar to identify
idioma *m.* language
idiomático, –a idiomatic
ido gone
igual equal, same
ilustración illustration
imagen *f.* image

imaginar to imagine
imaginario, –a imaginary
imitar to imitate
imperativo command form
imperfecto, –a imperfect
importante important
importar to be important, to matter
impresión impression
impresionante impressive
impulsar to drive, force
incluir *irreg.* to include
incluye includes
incluye *com.* include
independencia independence
independiente independent
indicar to indicate
indígena native, indigenous
indique indicate
indirecto, –a indirect
inesperado, –a unexpected
infinitivo, –a infinitive
información information
informar to inform
informativo, –a informative
informe *m.* report
inglés, –a English
ingrediente *m.* ingredient
iniciarse to initiate
inmediatamente immediately
inmediato, –a immediate
inscripción inscription
insecto insect
instrucción instruction
intensidad intensity
intercambia *com.* exchange
intercambiar to exchange
intercambio exchange
interés *m.* interest
interesante interesting
interesar to interest, be of interest
interesaría it would interest
internacional international
interno, –a internal
interpretar to interpret
intestino intestine
 intestino delgado small intestine
 intestino grueso large intestine
introducción introduction
introducir to introduce
inventar to invent
invertebrado, –a invertebrate
investigación investigation
investigar to investigate
invierno winter
invitar to invite
ir *irreg.* to go
iremos we will go
irregularidad irregularity
irrigar to irrigate
isla island
izquierda left

J

jaguar *m.* jaguar
japonés, –esa Japanese
jardín *m.* garden

jardinero, –a gardener
jefe, –a boss, chief
jeroglífico, –a hieroglyphic
jirafa giraffe
joven *m./f.* young person
jueces *m. pl.* judges
juega you play; he, she, it plays
juegan you (*pl.*), they play
juego game
 juego de mesa board game
juego I play
juez *m./f.* judge
jugábamos we played
jugador, –a player
jugar (u → ue) *irreg.* to play
jugó you, he, she played
juguete *m.* toy
julio July
junto, –a together
justicia justice

K

karateca *m./f.* karate player

L

la *f.* the
lado side
lago lake
lanzar to throw
 lanzar una pelota to throw a ball
lápices *m. pl.* pencils
lápiz *m.* pencil
largo, –a long
larguísimo, –a extremely large
las *f. pl.* the
lata can
latino, –a Latin
lavar(se) to wash (*oneself*)
le *dir. obj. pron.* it
lección lesson
leche *f.* milk
lechuga lettuce
lechuza owl
lector, –a reader
lectura reading
lee *com.* read
leer to read
leí I read
leíste you (*s.*) read
lejano, –a distant, far away
lejos far away
lengua language, tongue
lenguaje *m.* language
león *m.* lion
les *per. pron. pl.* (*as d. o.*) them
letra letter
levantarse to get up
ley *f.* law
leyenda legend
libertad *f.* liberty
libro book
 libro de consulta reference book
licuadora blender
líder *m./f.* leader

liebre *f.* hare
limón *m.* lemon
limpio, –a clean
lindísimo, –a extremely pretty
lindo, –a pretty
línea line
 línea del tiempo time line
linterna lamp, lantern
líquido liquid
liso, –a smooth
lista list
listo, –a *adj.* ready
literario, –a literary
llamada telephone call
llamado called
llamar to be called, call, name
 llamar por teléfono to telephone
llanura plain
llave *f.* faucet, key
llegar to arrive
llegarían you (*pl.*), they would arrive
llenar to fill
lleno, –a (de) full (*of*)
lleva *com.* carry, take
llevar to carry, take
 llevar a cabo to carry out, perform
llorar to cry
llover (o → ue) *irreg.* to rain
llovió rained
llueve it is raining
lluvia rain
lo it
lógico, –a logical
logró you, he, she achieved
loro parrot
los *m. pl.* the
luego then
lugar *m.* place
luna moon
luz *f.* light

M

maceta flower pot
madera wood
madurar to mature
maestro, –a teacher, master
mago, –a magician
maleta suitcase
malo, –a bad
maltrates *com.* mistreat
mamá mother, mama
mamífero, –a mammal
mañana morning, tomorrow
manantial *m.* spring
mandaron you (*pl.*), they sent
mandato command, order
manera manner, way
manguera hose (*for water*)
maní *m.* peanut
manjar *m.* food, delicacy
mano *f.* hand
mansión *f.* mansion
manso, –a tame
manta blanket
manteca grease, lard
mantener(se) (e → ie) *irreg.* to maintain

mantenerse de pie to stay standing up
mantequilla butter
 mantequilla de maní peanut butter
manzano apple tree
mapa *m.* map
mar *m.* sea
maravilloso, –a marvelous
marca *com.* mark
marca mark
marcado marked
marcha march
marino, –a marine
mariposa butterfly
marquen *com.* mark
marrón dark brown
más more
máscara mask
mascota pet
masculino, –a masculine
masticado chewed
masticar to chew
matemáticas mathematics
materia subject
máximo, –a maximum
maya Mayan
mayor bigger, biggest; older, oldest
mayoría majority
mayúscula capital letter
me *per. pron.* me, to me
 me muero de I am dying of
 me río I laugh
 me sentí I felt
 me siento I feel
 me sostengo I support myself
mediano, –a medium
medicina medicine
médico, –a physician
médico, –a *adj.* medical
medio means, through
medio, –a half
mediocampista *m./f.* halfback
mejor best, better
mejorado improved
mejorar to better
memorizar to memorize
mencionado mentioned
mencionar to mention
menos less
mensaje *m.* message
mente *f.* mind
menú *m.* menu
mes *m.* month
mesa board, table
mesero, –a waiter, waitress
meter to put
mexicano, –a Mexican
mezcla mixture
mezclar to mix
mí me
mi, mis (*s./pl.*) *poss. adj.* my
mide you, he, she, it measures
miedo fear
miedoso, –a cowardly
mientras while
mil thousand
minúscula small letter
minuto minute
mío, –a mine

mirar to look (*at*)
miren *com.* look (*at*)
misión mission
mismo, –a same
misterio mystery
mochila backpack
modelo model
modesto, –a modest
modo way, manner
mojado, –a wet
molino mill, windmill
molusco mollusk
momento moment
mono monkey
montaña mountain
montañoso, –a mountainous
morado, –a purple
morder (o → ue) *irreg.* to bite
morían you (*pl.*), they died
morir (o → ue) *irreg.* to die
mostrado shown
mostrar (o → ue) *irreg.* to show
motivo reason
mover (o → ue) *irreg.* to move
movimiento movement
múcaro owl
muchacho, –a boy, girl
mucho, –a, –os, –as a lot, much
muda, –o mute
mueble *m.* a piece of furniture
muere it dies
muerto dead
muestra you show, he, she shows
mueve you move, he, she moves
mueven you (*pl.*), they move
mujer *f.* woman
multitud *f.* crowd
mundial *adj.* world
mundo world
murió you, he, she died
músculo muscle
música music
muy very

nací I was born
nacimiento birth
nació you, he, she was born
nación nation
nacional national
nacionalidad nationality
nada nothing
nadador, –a swimmer
nadar to swim
nadie *indef. pron.* nobody
naranjo orange tree
nariz *f.* nose
narración narration
narrar to narrate
natación swimming
naturaleza nature
necesario necessary
necesidad necessity, need
necesitar to need
negativo, –a negative
negro, –a black

nervioso, –a nervous
ni nor
nicaragüense Nicaraguan
nieto, –a grandson, granddaughter
nieve *f.* snow
ningún (*before m. s. noun*) none
niño, –a boy, girl, child
no (*adv.*) not
noche *f.* night
nocturno, –a nocturnal
nombrado named
nombrar to name
nombre *m.* name
norte *m.* north
nos *per. pron.* (as i.o.), to us
nosotros, –as *per. pron.* we
nota grade, note
novecientos nine hundred
novela novel
  novela de misterio mystery novel
nube *f.* cloud
nuestro, –a *poss. adj.* our
nueve nine
nuevo, –a new
numeración numbering
número number
  número ordinal ordinal number
numeroso, –a numerous
nunca never
nutrición nutrition
nutritivo, –a nutritious, nutritive

O

objeto object
obra work
observar to observe
observatorio observatory
obtener (e → ie) *irreg.* to obtain
obtiene you obtain, he, she obtains
obtienen you (*pl.*), they obtain
ocasión occasion
océano ocean
ochenta eighty
ocho eight
oculto, –a hidden
ocupación occupation
ocupar to occupy
ocurría it happened
ocurrido occurred
ocurrió it occurred
ocurrir to occur
oeste *m.* west
oficio occupation, job
oído ear
ojo eye
oler *irreg.* to smell
olímpico, –a Olympic
oliva olive
olvidar to forget
once eleven
onza ounce
operación operation
opinión *f.* opinion
oportunidad opportunity
opuesto, –a opposite
oración sentence

órbita orbit
orden *m.* order
  orden lógico logical order
ordenado, –a ordered
oreja ear
organizar to organize
órgano organ
origen *m.* origin
orilla border
oro gold
ortografía spelling
ortográfico, –a written
oscuro, –a dark
oso bear
otro, –a *dem. adj./dem. pron.* other
ovalado, –a oval-shaped
óvalo oval
oyó you, he, she heard

P

pa' familiar form of para
paciente *m./f.* patient
padres *m. pl.* parents
página page
país *m.* country
paisaje *m.* landscape, scenery
pájaro bird
palabra word
palma palm tree
pantera panther
pañuelo handkerchief
papá father, papa
papel *m.* paper
  papel crepé crepe paper
  papel toalla paper towel
para + *inf.* in order to (*do something*)
  para que + *subj.* in order that
  para qué what, what for
paralelamente parallel
paralelogramo parallelogram
parar to stop
parecer (c → zc) *irreg.* to seem, look like
parecer(se) (c → zc) *irreg.* to look alike
  ¿Qué te parece…? What do you think of…?
parecido, –a alike, similar
pared *f.* wall
pareja pair
parque *m.* park
párrafo paragraph
parte *f.* part
participio participle
partido game
pasado past
pasado, –a last, previous
pasaje *m.* ticket
pasar to go to, pass
  pasar por to pass by
paseaba you, he, she took a walk
paseo walk, stroll
pases *com.* go ahead
pasillo hallway
pasión passion
paso step
pastel *m.* cake
pata foot of an animal

patinar to skate
pavo turkey
paz *f.* peace
pecera fishbowl
peces *m. pl.* fish
pechuga breast
pedacito *dim.* little piece
pedazo piece
pedazote *m.* big piece
pedí I asked
pedido request
pedir (e → i) *irreg.* to ask
pediste you (*s.*) asked
peinarse to comb one's hair
pelo hair
pelota ball
pensado thought
pensamiento thought
pensar (e → ie) *irreg.* to think
pensaste you (*s.*) thought
pensé I thought
pensó you, he, she thought
pepino cucumber
pequeñísimo, –a extremely little
pequeño, –a small
perder (i → ie) irreg. to lose
perdí I lost
perdieron you (*pl.*), they lost
perdimos we lost
perdió you, he, she lost
perdiste you (*s.*) lost
perdón excuse me
pereza laziness
perezoso, –a lazy
perfectamente perfectly
perfecto, –a perfect
perico, –a parrot
periódico newspaper
periodista *m./f.* journalist
período period
permitir to permit, allow
pero but
perrito *dim.* little dog
perro dog
persona person
personaje *m.* character
persuasivo, –a persuasive
peruano, –a Peruvian
pesado, –a heavy
pez *m.* fish
pianista *m./f.* piano player
picado minced
pico beak
pide *com.* ask
pide he, she asks
pídele *com.* ask
piden you (*pl.*), they ask
pides you (*s.*) ask
pidieron you (*pl.*), they asked
pidió you, he, she asked
pido I ask
pie *m.* foot
piedra rock, stone
piel *f.* skin
piensa (en) *com.* think (*about*)
piensa *com.* think
piensa you think, he, she thinks
piensan you (*pl.*), they think

piensas you (*s.*) think
piense *com.* think
pienso I think
pierdas you (*s.*) lose
pierde you lose; he, she, it loses
pierna leg
pieza piece
pimienta pepper (*spice*)
pimiento pepper
pinchar to prick
pingüino penguin
pino pine tree
pintado painted
pintar to paint
pintaría you, he, she would paint
pintarías you (*s.*) would paint
pintor, –a painter
pintura painting, paint
pirámide *f.* pyramid
piso floor, story
pizarrón *m.* blackboard
pizote *m.* red coati
placer *m.* pleasure
planeta *m.* planet
plano, –a flat, smooth
planta plant
plantación plantation
plantar to plant
plastilina modeling clay
platicar to talk, chat
plato dish
playa beach
pleno, –a full, complete
pluma feather, writing pen
plumaje *m.* plumage
población population
pobre poor
poco, –a little
  poco a poco little by little
podemos we can, are able
poder (o → ue) *irreg.* can, to be able
poder power
poderoso, –a powerful
podía you could, were able; he, she, it could, was able
podían you (*pl.*), they could, were able
podría you, he, she, it would be able
podrías you (*s.*) would be able
poema *m.* poem
poeta *m./f.* poet
polinizado, –a pollinated
pollo chicken
pon *com.* pay, put, place
poner *irreg.* to put, place
  poner atención to pay attention
ponerse *irreg.* to put on, wear
  ponerse de pie to stand up
ponga *com.* put, place
pongan *com. pl.* put, place
pongo I put, place
ponía atención you, he, she paid attention
poquito, –a *dim.* little bit
por for
  por favor please
  por la mitad in half
  por lo general in general
  por lo menos at least

  por lo tanto therefore
  por medio de by means of
  por qué why
  por supuesto of course
  por último finally
porche *m.* porch
porque because
portería goal area
portero, –a goalie
posición position
positivo, –a positive
prado meadow
prefiere you prefer; he, she, it prefers
prefijo prefix
pregunta question
preguntar to ask
premio award, prize
premió you, he, she awarded
preparación preparation
preparar to prepare
preposición preposition
prescripción prescription
presentación presentation
presentado presented
presentar to present, introduce
presente *m.* present
presidente *m./f.* president
prestar atención to pay attention
prestó you, he, she loaned
pretender to pretend, claim
pretérito preterite
  pretérito imperfecto imperfect tense
  pretérito perfecto preterite tense
  pretérito perfecto compuesto present perfect tense
primer (*before s. m. noun/adj.*) first
primero, –a first
primero in the first place
princesa princess
principal main
príncipe *m.* prince
principio beginning
problema *m.* problem
proceso process
producir to produce
profesión profession
profesor, –a teacher
profundo, –a deep
progresó it flourished
prolongado, –a prolonged
pronombre *m.* pronoun
pronto quickly
pronunciar to pronounce
propio, –a one's own
proponer to propose
propósito purpose
proteger to protect
proteína protein
protesta protest
protestar to protest
próximo, –a next
prueba test
púa spike
pudo you, he, she, it could, was able
pueblito *dim.* little town
pueblo town, people
puedan you (*pl.*), they can
puedas you (*s.*) can, are able

puede you can, are able; he, she, it can, is able
pueden you (*pl.*), they can, are able
puerta door
puerto port
puertorriqueño, –a Puerto Rican
pues since
puesta setting
puesto put
puesto newspaper stand
pulgada inch
pulmón *m.* lung
punta tip
punto point, period
puntuación punctuation
puré *m.* purée
purificar to purify
puro, –a fresh, pure
puse I put, placed
pusieron you (*pl.*), they put, placed

Q

que *rel. pron.* who, whom, that, which
qué what
quedarse to stay
querer (e → ie) *irreg.* to want, wish
queso cheese
  queso crema cream cheese
quién, –es *interr. pron.* who, whose
quiere you want, wish; he, she, it wants, wishes
quieren you (*pl.*), they want, wish
quieres you (*s.*) want, wish
quiero I want, wish
quieto, –a quiet, still
quinto, –a fifth
quiosco kiosk
quiso you, he, she wanted, wished

R

raíces *f. pl.* roots
raíz *f.* root
rama branch
rápidamente quickly
rápido, –a quick, quickly
rasgo trait, characteristic
rasurarse to shave oneself
rato while
raya dash
razón *f.* reason
reacción reaction
realidad reality
realista realistic
realizar to realize, achieve
recaer en *irreg.* to fall to
receta prescription, recipe
recibir to receive
reciclar to recycle
reciente recent
recientemente recently
recoger (g → j) to collect, pick up
recogió it collected
recoja *com.* collect, pick up
recojan *com. pl.* collect, pick up

reconocer (c → zc) *irreg.* to recognize
reconozco I recognize
recordar (o → ue) *irreg.* to remember
recorten *com.* cut out
rectángulo rectangle
recuerda *com.* remember
recuerda you remember; he, she, it remembers
recuerdas you (*s.*) remember
recuerdo memory
redondo, –a round
referí *m.* referee
referirse (e → ie) *irreg.* to refer
refieren you (*pl.*), they refer
reflexivo, –a reflexive
refresco drink
refrigerador *m.* refrigerator
regalar to give as a gift
regalo gift
regar (e → ie) *irreg.* to water
regla rule, ruler
regresar to return
regreso return
regularmente regularly
reino kingdom
relación relationship
relacionado related
relacionar to relate
relato report, account
remar to row
renglón *m.* line
repasar to review
repaso review
repetir (e → i) *irreg.* to repeat
representado represented
representar to represent
reproducir (c → zc) *irreg.* to reproduce
reptil *m.* reptile
reserva reserve
resfriado common cold
  estar resfriado, –a to have a cold
residuo remainder, rest
resolver (o → ue) *irreg.* to resolve
resolvió you, he, she resolved
respeto respect
respirar to breathe
respiratorio, –a respiratory
respuesta answer
restaurado restored
restaurante *m.* restaurant
resuelve resolve
resultado result
resumir to resume
reto challenge
retrato portrait
reúnete *com.* get together
reunido gathered together
reunir to gather, collect
reunirse con to get together with
reverencia bow, curtsy
revisar to revise
revisen *com.* revise
revisión revision
revista magazine
ricito *dim.* little lock (*of hair*)
rico, –a rich, tasty
riega you, he, she waters
rincón *m.* corner

río river
roca rock
rodaja slice
rodilla knee
rojo, –a red
rollo roll
rompecabezas *m. s.* puzzle
romper to break
rosa rose
rosado, –a pink
roto, –a broken
rotula *com.* label
ruido noise
ruina ruins
ruta route

S

saber *irreg.* to know
  saber + inf. to know how to
sabía you, he, she knew
sabían you (*pl.*), they knew
sabor *m.* flavor
saca *com.* take out
sacar to get, remove, take out
sacerdote *m.* priest
sagrado, –a sacred
sal *com.* leave
sal *f.* salt
salga *com.* leave
salgo I leave
salida departure, exit
saliente projecting
salieron you (*pl.*), they left
salió you, he, she left
salir *irreg.* to leave, go out
salmón *m.* salmon
salón *m.* classroom, hall
saltar to jump
salud *f.* health
saludo greeting
sálvame *com.* save me
sálvate *com.* save yourself
san (*before m. s. noun*) saint
sándwich *m.* sandwich
sangre *f.* blood
sano, –a healthy
santo, –a saint
savia sap
sé *com.* be
sé I know
se himself, herself, yourself (*formal*), themselves, yourselves
  se acercó he, she, it approached
  se colocan they are placed
  se comprobara it was proven
  se cubre he, she, it covers; him, her, itself
  se desarrolló developed
  se dirigió he, she, it addressed
  se divertían they enjoyed themselves
  se encontraron they met
  se escondió he, she, it hid; him, her, itself
  se extienden they extend
  se formaron they formed
  se graduó he, she graduated

se hizo he, she, it became famous
se llevaron they carried away
se llevó it took away
se pudo it was able
se puso it became, put on
se refiere it refers
se siente he, she, it feels
se sienten you (pl.), they feel
se sustituye substitutes
se tomó it took
se viste he, she gets dressed
sea com. be
secarse to dry up
seco, –a dry
secuencia sequence
sed f. thirst
seguir (e→i) irreg. to continue, follow
según according to
segundo second (period of time)
segundo, –a second (ordinal number)
seguramente probably, surely
seguro, –a safe, secure
seis six
selva jungle
semana week
sembrar to sow, plant
semilla seed
señal f. signal, sign
sencillo, –a simple
sensación sensation
sentarse (e → ie) irreg. to sit down
sentí I felt
sentía he, she, it felt
sentido feeling, meaning, sense
sentimiento feeling
sentirse (e → ie) irreg. to feel
sentiste you (s.) felt
señor m. mister, man
señora lady
señorita miss
separado, –a separated
separaste you (s.) separated
septiembre September
ser being
ser irreg. to be
será you, he, she will be
seremos we would be
sería it would be
serías you (s.) would be
serpiente f. serpent, snake
servir (e → i) irreg. to serve
servicio service
si if
sí yes
sido been
siempre always
sierra mountain range
siete seven
sigamos let's continue
sigan com. follow
siglo century
significado meaning
significar to mean
signo sign
 signo de admiración exclamation
mark
 signo de interrogación question
mark

 signo de puntuación punctuation
mark
sigo I follow
sigue com. follow
sigue it follows
siguen you (pl.), they follow
sigues you (s.) follow
siguiente following, next
sílaba syllable
silencio quiet, silence
silla chair, seat
símbolo symbol
sin without
sincero, –a sincere
sindical adj. of the trade or labor movement
sino but, only
sinónimo synonym
sirve you serve; he, she, it serves
sirven you (pl.), they serve
sistema m. system
sitio site
situación situation
sobre about, on
sobre m. envelope
sóftbol m. softball game
sol m. sun
solamente only
soleado, –a sunny
solidificación solidification
sólido, –a solid
sólo adj. only
solo, –a alone
soltar (o → ue) irreg. to let loose
solución solution
somos we are
son you (pl.), they are
sonido sound
sopa soup
soplar to blow
soporte m. support
sorprendente surprising
sorpresa surprise
soy I am
su, sus poss. adj. your, his, her, its, their
suave smooth, soft
subas com. climb up, go up
subido climbed up, went up
subir to climb up, go up
subraya com. underline
subrayar to underline
sucedió followed, happened
suceso event, happening
suelo soil, ground
sueña you, he, she dreams
sueñas you (s.) dream
sueño dream
sueño I dream
suficiente sufficient
sufijo suffix
sugerencia suggestion
sujeto subject
supermercado supermarket
sur m. south
suroeste m. southwest
sustancia substance
sustantivo noun
suyo, –a yours, theirs

T

tabla board, chart, table
tal vez perhaps
talento talent
tallo stem, stalk
tamaño size
también also, too
tan, –to, –ta so
tangram m. tangram
tarde f. afternoon
tarde late
 (más) tarde later
tarea homework
tarjeta card
 tarjeta postal post card
te per. pron. you, to you
teatral theatrical
teatro theater
tecnología technology
tecolote m. owl
teléfono telephone
televisión television
tema m. topic
templo temple
temporada season
ten com. take
tendría you, he, she would have
tenemos we have
tener irreg. to have
 tener ganas to want
 tener miedo (a) to be afraid (of)
 tener que + inf. to have to do
something
 tener razón to be right
tenga com. take
tengas you (s.) have
tenía you, he, she had
tenían you (pl.), they had
tenido had
tenis m. tennis
tenista m./f. tennis player
tensión tension
teoría theory
tercer (before s. m. noun/adj.) third
tercero, –a third
termina com. end, finish
terminación ending
terminado ended, finished
terminar to end, finish
termine com. end, finish
terminen com. pl. end, finish
terminó it ended, finished
terraza terrace
texto text
ti per. pron. to you
tiempo period of a game
tiempo time, weather
 tiempo verbal verb tense
tienda store
tiene you, he, she, it has
tienen you (pl.), they have
tienes you (s.) have
tierra earth, soil
tigre m. tiger
tijeras f. pl. scissors
tilde f. accent mark
tíos m. pl. aunt and uncle

tipo type
tirar to throw, pull
título title
toalla towel
tocar to touch, play an instrument
todavía still
todo, –a all
  todo el mundo everyone
toma *com.* take
tomar to take
  tomar el sol to sunbathe
tomate *m.* tomato
tome *com.* take
tomen *com. pl.* take
tonto, –a silly
torneo tournament
tortuga turtle
tos *f.* cough
toser to cough
trabajador, –a worker
trabajar to work
trabajo work
tracen *com.* trace
tradición tradition
tradicional traditional
traducir to translate
tradujeron you (*pl.*), they translated
trae *com.* bring
traer *irreg.* to bring
traje *m.* outfit, suit
trajimos we bought
transmitido transmitted
tras after
trasladarse to move
tratar to deal with, discuss
tratarse de to be about
traten com. try
trazado, –a traced
tres three
triángulo triangle
triste sad
trocito *dim.* small piece
trompeta trumpet
truco trick
tú you (*s.*)
tu, tus *poss. adj.* your
tuna prickly pear
turista *m./f.* tourist
turnarse to take turns
tuve I had
tuviste you (*s.*) had
tuvo you, he, she had

U

último, –a last, final
un, –a a, an
únicamente only
unidad unit
unido, –a united, tied
unir to unite
uno one
urbanización housing development, residential area
usaban you (*pl.*), they used
usar to use
usarías you (*s.*) would use

uso *m.* use
usted you (*s.*)
ustedes you (*pl.*)
útil useful

V

va you, he, she goes
vaca cow
vacaciones *f. pl.* vacation
vacuna vaccination
vacunarse to be vaccinated
vainilla vanilla
valer to be worth
valor *m.* valor, worth
vamos we go
variar to vary
variedad variety
varios, –as varied, various
vas you (*s.*) go
vaso glass
vaya *com.* (*formal*) go
ve *com.* go
vea *com.* look at, see
vean *com. pl.* look at, see
veces *f. pl.* times
vecindario neighborhood
vecino, –a neighbor
vegetal *m.* vegetable
veía you, he, she saw
veinte twenty
veintisiete twenty-seven
vela sail
ven *com.* come
vender to sell
venezolano, –a Venezuelan
vengo I come
ventana window
ver *irreg.* to see
verano summer
verbo verb
verdad right, truth
verdadero, –a true, real
verde green
veremos we will see
verso verse
vertebrado, –a vertebrate
vestido dress
vestirse to get dressed, clothed
vez *f.* time
vi I saw
viaja you travel; he, she, it travels
viajé I traveled
vida life
viejo, –a old
viento wind
vinagre *m.* vinegar
vio you, he, she saw
violeta violet
visitado visited
visitar to visit
vista sight, view
visto saw
vitamina vitamin
vivido lived
vivir to live
vivo, –a living

vocabulario vocabulary
vocal *f.* vowel
voluntario , –a volunteer
volver (o → ue) *irreg.* to return
volví I returned
voz *f.* voice
vuelo flight
vuelta turn
vuelto turned
vuelve you, he, she returns
vuelven you (*pl.*), they return
vuelves you (*s.*) return
vuelvo I return

Y

y and
ya already
yo *per. pron.* I
yogur *m.* yogurt

Z

zacate *m.* grass, lawn
zanahoria carrot
zapato shoe
zorro fox